J・R・R・トールキン

新版

指輪物語2

第一部

旅の仲間

上2

瀬田貞二・田中明子 訳

評論社

THE FELLOWSHIP OF THE RING *(Book One)*

Being the First Part of THE LORD OF THE RINGS

by

J. R. R. Tolkien

Originally published by HarperCollins Publishers Ltd

This edition published by arrangement
with HarperCollins Publishers Ltd., London
through Tuttle-Mori Agency, Inc., Tokyo

目　次

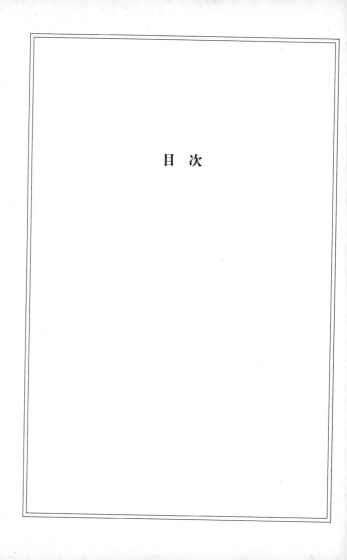

旅の仲間

上2

さし絵　寺島龍一

旅の仲間

上2

六　古　森

　フロドは突然目を覚ましました。部屋の中はまだ暗く、メリーが蠟燭《ろうそく》を片手に、もう一方の手でドアをドンドン叩きながら立っていました。「わかったよ！　いったいなんだい？」フロドはうろたえたまま、とり乱してそういいました。

「なんだいですって！」と、メリーは叫びました。「もう起きる時間ですよ。四時半です。ひどい霧ですよ。さあ、起きてください！　サムがもう食事の支度をととのえました。ピピンだって起きてますよ。ぼくはこれから小馬に鞍をつけに行きますからね、それから荷物を運ぶ駄馬を連れて来ます。怠け者のでぶちゃんを起こしてくださいよ！　あいつにもせめて朝起きてぼくたちを見送るぐらいのことはさせなくちゃ。」

　やがて六時過ぎになると、五人のホビットたちは出かける用意ができました。でぶちゃんのボルジャーはまだあくびをしています。かれらはそっと家の中から抜け出しました。荷物をのせた小馬を牽《ひ》いて、メリーが先頭に立ちました。かれは、家の裏手のやぶを通り抜け、その先のいくつかの畠を横切っている小道を辿《たど》り始めました。木の葉は濡れて光り、梢の先からは雫《しずく》が滴《したた》り落ち、草は冷たい露を帯びて灰色をしていました。あたりは静まり、遠い物音が近くはっきり聞こえてきます。どこかの中庭で鶏たちがコッコッと餌をあさっているのが聞こえます。遠くの家でだれかがドアを閉める音がしました。

　納屋まで来ると、小馬がいました。ホビットたちがかわいがって飼っている頑丈な小型のけものです。あまり速くはありませんが、一日歩かせても大丈夫でした。かれらは小馬にまたがると、やがて霧の中にふみいりました。霧はまるで、いやいやながらかれらの前に道を開き、脅《おびや》かすようにかれらの通ったあとの道を閉ざすように思えました。話もせずゆっくりと一時間も乗り続けた頃、突然かれらの前方に高垣がぼうっと姿を現わしました。それは丈が高く、銀色のくもの巣が網の目のように張りめぐらされていました。

「どうやってここを通り抜けるんだい？」と、フレデガーがたずねました。

「ぼくについて来たまえ！」と、メリーがいいました。「わかるから。」かれは高垣に沿って左に曲がりました。間もなくみんなは、高垣が窪地のふちに沿って内側に曲がっているところに来ました。高垣からいくらか離れたあたりに地面を切り開いた所があり、その部分は高垣に向かってゆるやかな下りになっていました。その両側は煉瓦《れんが》の壁になっていて、地面が下りになるにつれて、両側の壁はだんだん高くなり、最後は突然アーチ形のトンネルの入口を形造っていました。トンネルは高垣の下深くもぐり込んで、向こう側の窪地に出ていました。

　ここででぶちゃんのボルジャーは立ち止まりました。「さようなら、フロド！」と、かれはいいました。「こんな森にはいって行かなきゃいいのに。今日一日が終わるまでに、あなたが助けを必要とするようなことがありませんように。だけどご幸運を祈ってます――今日もそしていつの日も！」

「この先、古森《ふるもり》以上の悪いものがなければ、わたしも運がいいのだが、」と、フロドがいいました。「ガンダルフに東街道を急いで来てくれるようにいってくれたまえ。わたしたちもやがて街道に出て、できるだけ速く進むつもりでいるから。」「さようなら！」と、みんなは叫んで、小馬に乗ったまま坂を下り、フレデガーの眼前から、トンネルの中に姿を消しました。

トンネルの中は暗く湿っていました。トンネルの向こう側には細格子の鉄柵をとりつけた門があって通り抜けができないようになっていました。メリーは馬から下り、門の鍵《かぎ》を開けました。みんなが通ってしまうと、かれはまた門を押して閉《し》めました。門はガチャンと閉まり、錠前がカチッと鳴りました。それは不吉な音に響きました。

「そーら！」と、メリーはいいました。「これできみたちはホビット庄を出たんだよ。今はもうホビット庄の外、古森のはずれにいるのさ。」

「この森の話はみんな本当だろうか？」と、ピピンがたずねました。

「きみがどんな話のことをいっているのか知らないけど、」と、メリーが答えました。「もしきみのいってるのが、でぶちゃんが小さい時乳母たちからいつも聞かせてもらったゴブリンだとか狼とかといったお化けばなしのことなら、ぼくは否《いな》というね。ともかくぼくはそういった話は信じないね。しかしこの森は確かにおかしいことはおかしいのだ。ホビット庄の中の自然にくらべると、この森の中ではすべての物がはるかに生きているようなのだ。いってみればかれらは森の中で起こることを気づいているような感じなのだ。それにここの木々はよそ者を好まない。かれらはきみを見張ってる。かれらはふつう明るいうちはきみを見張るだけで満足し、別にたいしたことはしやしない。最も敵意のあるやつらがときに大枝をポトンと落としてみたり、根っこを突き出してみたり、長い蔓《つる》できみをひっつかんだりするくらいだ。だけど夜になると、うんと驚くようなことが起こる。ともかくそういう話だ。ぼくは暗くなってからここに来たことは、一度か二度しかない。それも高垣の近くから離れなかった。その時は、すべての木が互いに囁《ささや》き交わし、何かこちらにはわからない言葉で、知らせや企みごとを伝えているように思われた。そして木の枝は風もないのに揺れ動いて手探りをしているのだ。木たちが実際にその場所から動き、よそ者を取り囲んで閉じこめてしまうこともできるという者もあるくらいだ。事実、ずっと昔のことだけど、木たちは高垣を襲ったことがあった。かれらは生け垣のすぐそばに来て、それに並んで根を下ろし、生け垣にかぶさってきたのだ。しかしホビットたちがやって来て、何百本という木を切り倒し、森の中でいとも盛大なかがり火を焚いて、生け垣の東の地面を長い帯状に焼きはらった。そのあと木たちは襲ってくることはしなくなったが、ひどく敵意をもつようになった。あまり奥へはいらないところに、今でもまだかがり火を焚いたあとが、むき出しのまま広く残っているよ。」

「危険なのは木だけかい？」と、ピピンが聞きました。
「森の奥の方とか、向こう側には、いろいろ変わったものが住んでいる。」と、メリーがいいました。「ともかくそういうふうに聞いている。だけど、ぼくはそんなものは一度も見たことがないけど。しかし何かが通り道を作ってるのだ。森の中にはいってみるごとに、道が切り開かれてる。でもその道は時々妙な具合に通る場所を移し変えてるように思われる。このトンネルからあまり遠くない所に、ずいぶん昔からあるのだが、かなり広い通り道が始まっていて、それはかがり火迹に出て、そのあとはだいたいぼくたちの目指す方向、つまりいくらか北寄りの東に向いているのだ。ぼくがこれから見つけようとしているのはその道なんだ。」

ホビットたちは今やトンネルの門を離れ、広い窪地を馬で横切りました。高垣のこちら側には、百ヤードかそこらの間、消えかけた小道が続き、それは森の低地の方に通じていました。しかし一行がその道を辿《たど》って木々の下まで来ると、間もなくその道はなくなってしまいました。後ろをふり向くと、周りにはやぎっしり立てこんでいる木々の幹をすかして、黒っぽい線のように一列に生えた高垣が望めました。前を見ると、無数の大きさと形を持った数限りない幹の群れが見られるばかりでした。まっすぐの、曲がったの、ねじれたの、傾いたの、うずくまったの、すらりと伸びたの、すべすべしたの、こぶだらけの、枝の張ったの、すべての幹が、苔や、その他ぬらぬらしたり、ぼさぼさしたしだ類などにおおわれて緑色や灰色をしていました。

メリーだけがかなり快活そうな様子をしていました。「きみが先に立って、例の道っていうのを見つけてくれよ。」と、フロドはかれにいいました。「お互いに見失わないようにしよう。それに高垣のある方向を忘れないように！」

かれらは木の間の通れるところを拾うようにして進みました。小馬たちは、ねじ曲がって互いに絡み合ったたくさんの木の根を注意深くよけながら、重い足取りで歩いて行きました。木の下にはやぶも草もありませんでした。地面は少しずつ上りになり、前に進むにつれて、木はだんだん高くなり、密になり、暗くなってきました。何一つ音は聞こえません。ただ時たま、静まった葉末《はずえ》から雫《しずく》がポトンと落ちるだけでした。しばらくの間、枝々の間からは囁《ささや》き声も洩れず、動く気配も感じられませんでした。けれどもかれらは四人とも非難の目でじっと見られているような不気味な気持ちにとりつかれました。非難は嫌悪に変わり、さらに敵意にまで深まっていくようでした。この気持ちはじりじりと強まり、しまいには、四人ともすばやく上を見たり、肩越しにちらちらと後ろを見たり、まるで今にも突然襲われるものと決めているようでした。

しかしまだ道のきざしはなく、木々は絶えずかれらの行く手を塞ごうとしているかのようでした。ピピンは不意にもうこれ以上がまんできないような気がしてきて、突然どなり出しました。

「おい！　おい！」と、かれは叫びました。「ぼくはなんにもしやしないぞ。ちょっと通してくれ、いいだろ！」

あとの三人はびっくりして立ち止まりました。しかし叫び声はまるで厚いカーテンに吸い込まれるように消えてしまいました。こだま一つ、答え一つ聞こえず、森はただ前にも増して込み合い、注視を強めてきたように思えました。

「ぼくがきみなら、どならないよ。」と、メリーがいいました。「かえって逆効果だよ。」

フロドは、この森を抜ける道がはたして見つかるかどうか危ぶみ始めました。そして、このいとわしい森に三人を連れて来たことが正しかったかどうか疑い始めました。メリーは右を見、左を見て、どう進んでいいか、はっきりしなくなった様子でした。ピピンはそれに気がつきました。

「たいして来ないうちに、もうきみはぼくたちを道に迷わせたな。」と、かれはいいました。しかし、ちょうどその時、メリーがひゅうと安堵《あんど》の口笛を吹き、前を指さしました。

「さて、さて！」と、かれはいいました。「ここの木々はほんとうに動くぞ。かがり火迹は目の前にあるよ（あると思うけどな）、だけどそこに通じる道はどこかに行ってしまったようだ！」

前に進むにつれて、だんだん明るくなってきました。突然かれらは木々の間から抜け出たと思うと、広い円形の広場にいました。頭の上には空がありました。空は青く澄んでいてかれらを驚かせました。今まで森の屋根の下にいて、昇る朝日も、霧がはれたのも見ることができなかったからでした。しかし、太陽はまだ森の中のこの空地を照らすほど高くは昇っていないで、木の高い梢にその光が射していました。空地を囲んでいる木々の葉はよそよりもよく茂り、もっと濃い緑色をしていて、まるで堅固な壁のようにびっしりと囲んでいました。ここには木は一本もなく、ただ伸び放題の草や、たくさんの丈の高い植物が生えているばかりでした。茎立ってしおれかけた毒にんじんとか野生のパセリ、ふかふかの灰の中に落ちた種から芽生えた雑草類、それに一面にはびこったいらくさや野茨などでした。荒涼としたわびしい場所でした。それでも、密生した森から来れば、魅力のある楽しげな庭のように見えました。

ホビットたちは元気づけられて、空にひろがる明るい光をたのもしげに見上げました。空地の向かい側に、壁なす木むれの間に一個所割れ目があって、その先にはまぎれもない小道が一本見られました。その道は森の中にはいっていました。所によっては幅も広く、道の上は開けていました。もっとも両側の木が道をせばめて、暗い大枝を張り出して空を遮っているところもありました。ホビットたちはこの道に馬を進めました。道は依然として緩やかな上りになっていましたが、今度はずっと速く進むことができました。また前にくらべると少しは元気も出てきました。森が気持ちをやわらげ、結局邪魔立てしないでかれらを通してくれるような気がしたからでした。

しかししばらくすると空気はむし暑くなり、両側の木々はまた込み合ってきて、見通しが利かなくなりました。かれらは今までにも増して、森の悪意がひしひしと身に迫ってくるのを感じました。あたりは静まり返って、そのために、枯葉をかさこそいわせ、時々隠れた根っこにつまずきながら進む小馬の蹄《ひづめ》の音が、かれらの耳には、ずしんずしんと重く聞こえるのでした。フロドはみなを元気づけるために歌を歌おうとしましたが、それもたちまち力ない小声になってしまいました。

おお、影なす国をさ迷う者たち、
絶望するな！　黒々と立つが、
森はみな、やがては終わり
蔽いない陽をあおぐはず。
夕日と、朝日で
一日が終わり、一日が始まる。
東か、西か、
森はみな、いつかは果てる。……

果てる——この言葉をおしまいまでいわないうちに、かれの声はかき消えてしまいました。空気は重苦しく、言葉を考えるのもいやになりました。かれらのすぐ後ろで、道におおいかぶさっている古木から、大きな枝が一本、すさまじい音を立てて道に落ちました。前方の木々は、迫ってきてかれらを取り囲むように見えました。

「この木たちは、終わるとか果てるとかというのが気に入らないんだな、」と、メリーがいいました。「ぼくならしばらくの間もう何も歌わないな。森のはずれに出るまでお待ちなさい。それからひらきなおって、こいつらをおこらせるような大合唱をしましょうよ！」

かれはみんなの気持ちを引き立てるように話しました。たとえ心の中で非常な不安を感じていたにしても、かれはそれを表には出しませんでした。あとの三人は答えませんでした。気持ちがふさいでしまったのです。ずしりと重い痞《つか》えがだんだんフロドの心を占めてきました。今やかれは一歩前に進むごとに、よくもこの森の木たちの脅威に挑戦しようなどと考えたものだと後悔するのでした。そしてかれが正に立ち止まって、(まだ見こみがあるならば)引き返すことをみなに申し立てようとしたちょうどその時、事態が新しい方向に向かったのです。道の上りが途絶え、しばらくの間ほとんど平地になりました。くろぐろとした木はわきに退き、前方にこの道がほとんど真っ直に続いているのが見えました。少し離れてはいますが、かれらの前に緑の丘の頂が見えました。木がなくて、周りを取り囲む森からそこだけ出ているところは、まるで禿頭のようでした。歩いている道はそこに真っ直向かっているようでした。

ホビットたちはしばらくでもこの木々の間から抜け出して、森の屋根より高いところに登れるという思いに有頂天になって、ふたたび道を急ぎ始めました。道はちょっと下りになり、それからまた上り坂となって、やがて急な山腹の麓《ふもと》に着きました。森はそこで切れていて、小道は芝草の中に消えていきました。森は丘の周りをすっかり取り囲んでいました。ちょうど剃った顱頂《ろちょう》をきれいに囲んでふさふさした髪の毛が生えているようでした。

ホビットたちは小馬を引っ張って、山腹をぐるぐる回りながらやっと頂上に着きました。一同はそこに立って、周りをしげしげと見回しました。空気は陽の光を受けてきらきら輝いていましたが、いくらか霞がかかっていて、あまり遠くまでは見通せませんでした。近いところでは靄《もや》はほとんど消え去って、ただ、森の中の窪地のここかしこに残っているだけでした。南の方には森を横断している深い谷間があり、そこからはまだ、水蒸気か幾筋もの白い煙のように霧が立ち昇っていました。

「あれが、」メリーが片手でそちらを指さしていいました。「あれが枝垂川《しだれ》の流れているところだ。あの川は塚山丘陵から出て、南西の方角に流れ、森の真ん真ん中を通って、垣出《かきで》の下手《しもて》でブランディワイン川にそそいでるんだ。ぼくはあっちに行くのだけはごめんだね！　枝垂川渓谷はこの森の中でも一番妙なところだという話だ——おかしなことは全部あそこが源だといってもいいくらいなんだ。」

あとの三人はメリーの指さした方を見ましたが、深く切り立った湿っぽい谷間にかかる霧のほかにはほとんど何も見えませんでした。その向こうには視界からぼんやり薄れていく森の南半分がありました。

丘の頂にかかる太陽は、だんだん暑くなってきました。かれこれ十一時頃に違いありません。しかし他の方角はまだ秋の靄がかかっていてあまりよく見えませんでした。西は、高垣の線もその先のブランディワイン川もどこにあるのかさっぱりわかりません。北は、みなが一番望みを託して眺めた方角ですが、かれらが目指す東街道の広い道らしいものは何も見えませんし、かれらは樹海の中の小島にいて、水平線にはヴェールがかかっていました。

丘の南東側は、土地が急に落ちこんでいて、島の海岸が、実は深海から隆起している山の山腹である場合のように、丘の山裾《すそ》は木々の海の下に没しているのでした。かれらは芝草のふちに腰を下ろし、足許《もと》の森を見渡しながら昼の食事をとりました。日が高く昇り、正午を過ぎた頃、かれらは東のはるかかなたに塚山丘陵の灰色がかった緑の線をかいま見ることができました。それは東側の古森《ふるもり》の向こうにありました。これがかれらをたいへん元気づけました。なにしろ、森が尽きてその向こうに何かが見えるのはいいことでした。しかしかれらはもしそうしないですむことなら、そちらの方に進むつもりはありませんでした。塚山古墳は、ホビットの伝説の中では古森と同じ位不吉な評判を得ていたのです。

かれらはようやくまた道を続ける決心をしました。かれらを丘まで連れて来た道の続きは北側にみつかりました。しかしその道をあまり進まないうちに、かれらはそれが少しずつ少しずつ右の方にそれていくのに気がつきました。間もなく道はどんどん下りになっていきました。そしてそれは現にみんなが一番望んでいなかった方向、枝垂川渓谷に向かっているに違いないとみんなは考えました。しばらく相談したあとで、かれらは、とんでもない方向にかれらを導くこの小道を離れ、北に向かうことにしました。丘の上から望むことはできませんでしたが、街道はそちらの方にあるに違いありません。ここからそう何マイルも離れているはずがなかったからです。それに北の方、つまり道の左手は、土地がもっと乾いていて、もっと空いているように思えました。そちらの方は土地がだんだん上り坂になっていて、木がもっと少なく、松や樅《もみ》が主になって、これまでの樫やとねりこやその他の、もっと混み合った森の中に生えていたさまざまな見慣れない、名も知らぬ木にとって代わりました。

はじめのうちは、かれらがこちらの方角を選んだことは正しいように思われました。かれらはかなり快調に進みました。しかし、木の切れ目がある度にちらとうかがえる太陽の位置から見ると、解《げ》せないことですが、かれらは東の方へ東の方へとずれていっているように思えました。しかしばらくすると、遠目には木々が混まず、それほど絡み合ってもいないように思われたその場所で、かれらはふたたび木に取り囲まれ始めました。そのうち、地面にうがたれた深い窪みが思いがけない時にちょいちょい目につくようになりました。それはまるで巨大な車輪の轍《わだち》のようでもあり、広い堀のようでもあり、長いこと使われないで沈下してすっかり茨に埋もれてしまった道路のようでもありました。これらの窪みはたいていかれらの進む道を横切っていて、これを越えるには這《は》って降り、また這ってのぼらなければならず、小馬を連れていてはとても厄介で、困難でした。窪地の下に降りるたびに、そこは茂ったやぶと絡み合った下生えですっかり埋まっていました。そしてどういうわけでかそこから左手の方にはどうしても出る方法がなく、右に折れた場合にだけ前に進めるのでした。それで向こう側の土手に上る道を探し出すまでに、窪地をかなり歩くことになってしまいました。窪地から這い出るたびに、森はいっそう深く、暗くなって、その度に左手の高い方にはいっこう通れそうな道がなく、いつも右のほうへ低い方へと進まざるをえなくなりました。

一時間か二時間後には、四人ともすっかり方向感覚を失っていました。ただ、とっくの昔に北にはまったく進めなくなってしまったことだけはよくわかっていました。かれらは進路をはばまれ、ただかれらのために用意されたコース――東南の方向、そして森の外の方にではなく、森の中心部に向かうコースを辿《たど》るほかはありませんでした。

午後の時間もかなり遅くなった頃、かれらは今まで出会ったどれよりも幅が広く、深さも深い窪地によろよろと這《は》い降りました。そこは両側の土手がけわしく、おおいかぶさるようにそびえているので、連れて来た小馬たちと荷物をここに置いていかないことには前に進むにしろ、後に戻るにしろ、ふたたびここから這い出ることはとても無理だということがわかりました。残された道はただ一つ、窪地を伝って下の方に降りるしかありません。地面はだんだん土がやわらかくなり、ところどころ泥の水たまりができていました。土手のあちこちから水が湧き出ていました。そして間もなくかれらは草の生えた川床をちょろちょろ流れる小川について降りて行きました。やがて地面は急な下り坂となり、小川は勢いと音を増して、ほとばしる急流となって、傾斜地を低い方へ流れて行きました。かれらは今、はるか頭上を木がおおいかぶさった、光のあまり射さぬ深い谷間にいるのでした。

流れに沿ってよろめく足取りでしばらく進んだ後に、まったく突然暗がりから抜け出しました。さながら門を通して見るように、前方に日の光が溢れていました。明るい所に出てみて、かれらは今自分たちが崖《がけ》のように切り立った高い土手の割れ目を通って降りて来たことに気がつきました。その土手の下は、草や芦の生えた広い空地になっていて、向こう岸には、やはり同じようにけわしい土手が望まれました。おそい午後の金色の陽の光が、土手にはさまれたこの隠れた土地を眠くなるような暖かさで満たしていました。この土地のほぼ真ん中を茶色の水の黒ずんだ川がうねうねとくねりながら、ものうげに流れていました。柳の老木が川の両側をふちどり、流れの上を柳の枝がアーチ形に張り出し、倒れた柳の木が水の流れをせき止め、無数の柳の落葉が点々と水に浮いていました。柳の枝々からは絶えず黄葉が舞い落ちて、空中にたちこめるばかりでした。なま暖かい微風が谷間をかよい、芦がさらさらと鳴り、柳の大枝がきしみました。

「さて、これでどうやら、ぼくたちがどこにいるか見当だけはついたぞ！」と、メリーがいいました。「ぼくたちがめざしたのとほとんど反対の方角に来てしまった。これは枝垂《しだれ》川だよ！　よし、ぼくがひとつ探検してみよう。」

かれは日のあたる所に出て行き、丈の高い草の中に姿を消しました。しばらくするとまた姿を現わし、崖際と川との間の地面がかなり固く、所によっては足場のいい芝草が水際まで生えていることを報告しました。「おまけに、」と、かれはいいました。「こちら側の川岸伝いにだれかが歩いてこしらえた道らしいものがあるよ。もしぼくたちが左に折れてその道らしいものを伝って行けば、やがては森の東側に出られるはずだよ。」

「たぶんね！」と、ピピンがいいました。「その道がそんな遠くまで続いてて、ぼくたちを泥沼に連れ込んだあげく、そこに置いてけぼりにするんでなければね。だれがそんな道を作ったと思う？　それになんのためだろう？　ぼくたちのために作ってくれたんでないことは確かだ。ぼくは、この森と、この森の中のすべてのものに対してとても疑い深くなってきたよ。この森にまつわる話を全部信じる気持ちになったよ。それに東の方にどれくらい進めばいいのか、きみにはわかってるのかい？」

「いいや、」と、メリーはいいました。「わかっていない。ぼくには、今ぼくたちのいるのが枝垂《しだれ》川のどのへんかということも、いったい踏み道がつくほどこんな所に始終やって来るのはだれかということも、さっぱりわからない。だけどこれ以外にここから脱け出せる方法はぼくには見つかりもしないし、考えつきもしないよ。」

ほかにどうしようもないので、一同は一列になって歩き出しました。メリーが先に立って、自分が見つけた小道にみなを案内して行きました。いたるところに芦と草の葉が青々と丈高く、所によってはみんなの頭を越すほどに茂っていました。しかし一度その場所がわかると、道は辿《たど》りやすく、沼や水たまりを避けてその間のわりに固い地面を選びながら、曲がりつくねりつして続いていました。ここかしこで道はほかの小さな流れを横切っていました。それはこの森の中のもっと高い所から流れ出た水が小さな峡谷を流れ下って、枝垂川にそそいでいるのでした。そういう場所には丸太や、束ねたそだなどが注意深く渡されていました。

ホビットたちはとても暑く感じ始めました。いろんな種類の蝿《はえ》の大群が耳の周りをブンブン飛び回っていましたし、午後の日射しはじりじりと背中を照らしていました。やっとのことでかれらは思いがけずちょっとした木陰のあるところに出ました。大きな灰色の枝が道に差し出されていたのです。踏み出す一歩が前の一歩より重く感ぜられるようになりました。眠りの虫が地面から這い上がってきて、みんなの脚を伝わってくるかとも、空中からみんなの頭や目に音もなく降りそそぐかとも思えました。

フロドは頭がだんだん下がってきてついうとうとするのを感じました。かれのすぐ前では、ピピンが膝《ひざ》をついてうつ伏してしまいました。フロドは立ち止まりました。「これじゃしょうがない。」と、メリーがいうのが聞こえました。「一休みしなければ一歩も進めやしない。昼寝をしなくちゃ。この柳の木の下が涼しいや。蝿も少ないし!」

フロドはこのメリーの言葉がどうも気に入りませんでした。「さあ、行こう!」と、かれは叫びました。「まだ昼寝はできないよ。まずこの森から出てしまわなくちゃいけないんだ。」しかしあとの二人はこれに耳をかすどころではありません。二人のそばにはサムがぼけたように目をしばたたいて、あくびをしながら立っていました。

フロドは今度は自分自身が不意に眠りに襲われるのを感じました。頭がふらふらします。今は何の物音も聞こえないように思えました。蝿の羽音も止んでいました。ただあるひそやかな音、半ば囁《ささや》くような歌声に似たかすかな葉ずれの音が、頭の上に張り出した大枝のあたりから聞こえるように思えました。かれは重い瞼《まぶた》を上げて、自分の上にのしかかる一本の柳の巨木を見ました。それは、年を経て、劫《ごう》をへた大木でした。とほうもなく大きな木のようで、ぶざまに張った枝は、まるで指の長い手をたくさんつけて、差し伸ばされた腕のように伸びていましたし、こぶだらけのねじ曲がった幹は、大きな割れ目をいくつも開けて、大枝が動くたびに、かすかにきしむような音をたてました。眩《まぶ》しい空に葉裏をひるがえしているその葉の群れを見上げると、フロドは目が眩《くら》んで足をよろめかせ、そのまま草の上に倒れふしました。

メリーとピピンは、体をひきずるようにして柳の根元まで辿り着き、柳の幹に背を向けて、ごろりと横になりました。二人の後ろに、大きな割れ目があんぐりと口を開《あ》け、木が揺れてきしむたびに二人を呑み込もうとするようでした。二人が上を見上げると、灰色がかった黄色の葉が陽の光の中を静かにそよいで、歌を歌っていました。二人は目を閉じました。すると何か言葉が聞こえてくるような気がしました。涼しい言葉で、水と眠りのことを何かいっていました。二人はそのまじないに身を委ね、その灰色の柳の大木の根元でぐっすりと眠りこんでしまいました。

フロドはとても我慢できないほどの眠さと闘いながら、しばらく横になっていましたが、そのうちやっとの思いで、必死に立ち上がりました。かれは冷たい水が欲しいという押さえがたい望みを感じました。「ちょっと待っててくれ、サム。」かれは口ごもりました。「ちょっと足を冷やして来なくちゃ。」

半ば夢現《うつつ》で、かれはふらふらと柳の木の川に面した方に歩いて行きました。そこには、くねくねと曲がった大きな柳の木の根っこが、まるで水を飲もうと体を伸ばしたこぶこぶだらけの小竜のように、流れの中にまではい出ていました。かれはこの木の根っこの一つにまたがり、ひいやりした茶色の水の中に熱い足を入れてピチャピチャと水をかきました。そしてそこでかれもまた急に眠りに襲われて、木に背中をもたせかけたまま眠りこんでしまいました。


サムは腰を下ろしたまま頭をかきむしり、洞穴のような大きな口を開けてあくびをしました。かれは気をもんでいました。午後ももうおそい時間でした。それに、この突然の眠さはどうもただ事でないように思えました。「こりゃお天道さまとあったかい空気のせいばかりじゃねえぞ、」と、かれはぶつぶつ独り言をいいました。「おら、このでっかい木がどうも気に入らねえ。この木には心が許せねえ。聞いてみろ、眠ることを歌にして歌ってるじゃないか！　これはまったくいけねえぞ！」

かれはやっと元気を出して立ち上がると、ふらふらする足取りで、小馬たちがどうなったか見に行きました。行ってみると、小馬の中の二頭が道のかなり先の方までさ迷い出ていました。かれらをつかまえて、残る三頭の小馬たちのところに連れ戻ったちょうどその時、かれは二つの音を聞きました。一つは大きく、もう一つは小さいけれどとてもはっきり聞こえました。一つは、何か重い物が水の中に落ちてはねた音でした。もう一つは、ドアが静かにぴたっと閉まる時に鍵《かぎ》がかかるような音でした。

かれは急いで土手に戻りました。フロドは水際にすぐ近い流れの中にはまっていました。そして一本の大きな木の根っこがその体にかぶさり、かれが体を起こせないように押さえているように見えました。それなのにフロドはあばれもしないのです。サムはフロドの上着をひっつかみ、木の根の下からかれを引きずり出しました。それからやっとのことでかれの体を土手の方にほうり上げました。それとほとんど同時に、かれは目を覚ましました。そして咳をして、水をペッペッと吐き出しました。

「サム、わかるかね、」かれはようやく口を利《き》きました。「このいまいましい木ときたら、わたしをほうり込んだんだ！　わたしは感じでそれがわかった。さっきの大きい根がわたしに巻きついて、水の中にのめらせたんだ！」

「フロドの旦那、だんなは夢をみとられたんですよ。」と、サムがいいました。「眠くなったら、あんな所にすわっちゃだめですだ。」

「あとの二人はどうした？」と、フロドがたずねました。「かれらはいったいどんな夢を見てるだろう。」

フロドとサムは木の向こう側に回りました。そしてサムはその時はじめて、さっき聞いた鍵のしまる音がわかりました。ピピンは消え失せていました。かれがそのすぐそばに身を横たえていた割れ目は、ぴたっと閉じ合わさっていて、毛ほどの隙間さえありません。メリーははさまれていました。別の割れ目がかれの胴をはさんだまま閉まってしまい、脚だけが両方とも外に出ていました。しかしかれの体の残りの部分は暗い穴の中にかくれ、まるでペンチのようなそのふちに押さえこまれていました。

フロドとサムはまずはじめに、ピピンが中にはいっている木の幹をドンドンと叩きました。それから、あわれなメリーをはさみ込んでいる割れ目の口を必死に引き開けようとしました。しかしまったく無駄でした。

「なんてひどいことが起こったんだ！」フロドは狂ったように叫びました。「どうして、わたしたちはこの恐ろしい森にやって来たんだ？　みんなで堀窪《ほりくぼ》に帰れたらどんなにいいだろう！」かれは足が痛むのもかまわず、力まかせに木を蹴とばしました。ほとんど目につくかつかないかくらいのふるえが幹から枝にかけて走りました。葉が囁《ささや》くようにサワサワサワと鳴りましたが、それはどこか遠くの方からかすかに聞こえる笑い声のような響きを伴っていました。

「荷物の中に斧《おの》ははいっておりませなんだか？　フロドの旦那？」と、サムがたずねました。

「薪を作る小さな手斧《ておの》なら持ってきたがね、」と、フロドがいいました。「それじゃたいして役に立たんだろう。」

「ちょっと待ってくだされ！」薪という言葉で、あることを考えついて、サムが叫びました。

「火で何かできるかもしれませんだ！」

「できるかもしれないが、」と、フロドは疑わしげにいいました。「中にはいっているピピンを生きながら丸焼きにしてしまうということになるかもしれない。」

「まず、この木をちょっとやけどさすか、怖がらすかしてみるといいですだ。」サムが荒々しい声でいいました。「こいつがお二人を放さないなら、おれは、たとえかじってでも、こいつを倒してやりますだ。」かれは小馬のいるところに走って行って、間もなく火打ち石のはいった箱を二つと手斧を一つ持って戻って来ました。

二人は大急ぎで乾いた草と落葉と、それから木の皮を少々集めました。そして折れた小枝や、斧《おの》で切った棒切れなどでたきぎの山を作りました。そしてこのたきぎの山を、囚われ人たちがいるのと反対側の幹に寄せて積み上げました。サムが火打ち石を使って火を打ち出すと、すぐに乾いた草に燃え移り、めらめらっと焔《ほのお》が上がり、煙が立ち昇りました。たきぎがパチパチとはぜました。焔の先が年経た木の乾いて傷だらけの皮をちょろちょろと舐《な》め、それを焦がしました。柳の木の全身をふるえが走りました。木の葉は二人の頭の上で、苦痛と怒りの響きをこめて歯ぎしりしているように見えました。大きな悲鳴がメリーのところから聞こえてきました。そして木のずっと奥の方から、ピピンのくぐもった悲鳴が聞こえました。

「消してくれ！　消してくれ！」と、メリーが叫びました。「消してくれないと、ぼくはぎゅっと締められて真っ二つにされてしまうよ。そうするっていうんだよ！」

「だれが？　なんだって？」フロドはどなりながら、木の向こう側に走って回りました。

「消してくれ！　消してくれ！」と、メリーは頼みました。柳の木の枝は激しく揺れ始めました。まるで風の起こるような音が聞こえたかと思うと、それは周りのすべての木の枝に向かって広がっていきました。静かにまどろんでいた渓谷にかれらが投げた一つの石が怒りの波紋を起こし、それが森中に広がっていくかのようなあんばいでした。サムは小さな焚火《たきび》を足で蹴ちらし、踏みつぶして火を消しました。一方、フロドは、自分でもなぜそうするのか、何をあてにしているのか、はっきりわからないまま、「助けてくれえ！　助けてくれえ！　助けてくれえ！」と叫びながら道を駆けて行きました。かれには、自分の甲高い叫び声がほとんど自分では聞こえないような気がしました。自分の叫びが、柳の木から吹く風に運び去られ、騒がしい葉擦《はず》れの音に消されてしまうからでした。かれは絶望し、途方に暮れ、どうしていいかわからなくなりました。

不意にかれは立ち止まりました。答があったのです。それとも気のせいでしょうか。しかしその答は、後ろの方、道をずっと森の奥の方に戻ったあたりから聞こえてくるように思えました。かれは向き直って耳を傾けました。間もなく疑いの余地はなくなりました。だれかが歌を歌っているのでした。深い喜ばしい声が呑気そうに楽しげに歌っていました。しかし、歌はとりとめもなく意味のないものでした。

そら、ラン！　楽しや、ロン！
ラン、ロンと鳴らせ！　鐘を。——

うて、ドン！　とべ、ポン！
さやさやなるは、柳。
トム、ボム、陽気なトム・ボンバディル。

半ばは期待を抱き、半ばは新しい危険を怖れ、フロドとサムは身動きもせず立っていました。すると、次から次へ続くとりとめもない言葉（そう思えただけのことかもしれませんが）が、突然高らかに響くはっきりした歌声となり、こんな歌になって聞こえてきました。

さあ！　楽しくやろうよ、ラン！
陽気に、リン！　いとしい者よ！
風はふくよ、そよと、
椋《むく》はとぶよ、ひらと。
日をあびて、丘の麓《ふもと》をめぐれば、
涼しい星を待って、戸口に立つは、
わが美しのひと、川の女神のおとめよ。
柳の枝のようにすらりとして、
流れよりも清らかなひとよ。

トム・ボンバディルは、水蓮を家苞《つと》に、
跳《は》ねはね帰る。聞こえるかい、その歌が。
さあ！　楽しくやろうよ、ラン！
陽気に、リン！　楽しく、ラン！
ゴールドベリ、ゴールドベリ！
黄金色の木の実、リン！
あわれな柳のじじいよ、根をひっこめろ！
トムはお急ぎで家へお帰り。
昼のあとに、夜が来る。
トムはとびながら帰る、
水蓮の花を家苞にして。
さあ！　楽しくやろうよ、ラン！
わたしの歌が、きこえるかい？

フロドとサムは魅せられたように立っていました。風は吹き止みました。柳の葉はふたたび静まって、動かない枝からしだれました。そこへもう一度歌声が響きました。そして突然、小道を跳びながら踊りながら、つぶれた古帽子が芦の上に現われました。バンドに青い長い羽根を一本突き刺した山の高い帽子でした。その帽子がまた一跳び一はねして、人間の男らしいものの姿が見えてきました。どっちみちホビットにしては大きすぎましたし、体も重いようでした。もっとも背の高さは大きい人族ほどないかもしれません。ただ音だけは大きい人並みの音を立てました。ごつい足にはいた大きな黄色い長靴を踏みならし、まるで水を呑みに行く牝牛のようにがむしゃらに草や藺草《いぐさ》を踏みしだいてやって来ました。かれは青い上衣を着て、茶色の長い顎鬚《あごひげ》をはやしていました。目は生き生きとした青い目で、顔は熟したりんごのように赤く、笑うと無数の小皺がきざまれました。かれは両手にまるでお盆でも持つように、大きな葉を一枚抱え、その上には白い水蓮の花がこんもりとのせてありました。

「助けてください！」フロドとサムはそう叫びながら、両手を前に差し出して、かれの方に走って行きました。

「おいおい！　止まれ！　そこにそのまま！」老人は片手をあげて叫びました。二人は急に体がこわばったように、ぴたっと立ち止まりました。「さあて、小さな衆よ、どこへおいでだね、ふいごのようにふうふういって？　いったいここでどうしたというのかね？　わたしがだれだかご存知か？　わたしはトム・ボンバディル。用があったらいってくれ！　トムはお急ぎなんだから。おっとわたしの水蓮をつぶさないでおくれ！」

「友達が柳の木につかまってしまいました。」フロドが息せき切っていいました。

「メリー旦那が割れ目に押しつぶされそうです！」と、サムが叫びました。

「なんだと！」トム・ボンバディルは跳び上がってどなりました。「柳じじいかね？　そんなひどいことあるもんか。それならすぐに改めさせるぞ。わたしはあいつに聞かせる歌を知ってるぞ。おい、灰色の柳じじいよ！　ちゃんとおとなしくしないと、骨の髄まで凍らせるぞ。わたしが歌えば根っこがもげるぞ。わたしが歌えば風が起こり、葉っぱも枝も吹き飛ぶぞ。この柳じじい！」

水蓮をそっと草の上に置くと、かれは木のところに駆けて行きました。そこでかれは、メリーの足がまだ突き出ているのを見ました――残りの部分は中の方に引き込まれていたのです。トムは割れ目に口をあてると、その中に向かって低い声で歌い始めました。二人にはその言葉の意味がわかりませんでしたが、メリーは明らかにはっきり目を覚ましたようです。かれは両脚を動かし始めました。トムはぴょんと身をかわすと、今度は垂れた枝を一本折り取って、それで柳の横腹をピシャピシャぶちました。「二人を出してやれ、柳じいさんよ！」と、かれはいいました。「お前は何を考えてるんだな？　お前は目を覚ましたらいけないぞ。土をお食べ！　深く掘れ！　水をお飲み！　眠るのだ！　ボンバディルが話してるんだぞ！」それからかれはメリーの両足をつかむと、急に口を開いてきた割れ目からかれを引っ張り出しました。

ギギーと大きな音がしたかと思うと、もう一つの割れ目が真っ二つに開きました。そしてそこから、まるで弾き飛ばされたように、ピピンが跳び出しました。それからパチンと大きな音がして、両方の割れ目はふたたびぴたっと閉じてしまいました。柳の木の根元から梢の先にふるえが走り、そのあとはまったくの静けさが訪れました。

「ありがとうございました！」ホビットたちは次々に礼をいいました。

トム・ボンバディルは声をたてて笑いました。「ところで、小さな衆よ！」かれはそういって、みんなの顔をのぞくために体をかがめました。「わたしと一緒にうちに来なされ！ テーブルには、黄色のクリーム、巣にはいったままの蜂蜜、白いパンにバターがこぼれるほどにのっている。ゴールドベリが待っている。夕食の卓を囲みながら、話を聞く時間はたっぷりある！ 皆の衆、できるだけ速くわたしについて来なされ！」そういうとかれは水蓮の花を取り上げ、それから手招きをして、道を東の方に踊るような足取りでひょいひょい跳んで行きましたが、やはりとりとめもなく、大きな声で歌を歌っておりました。

驚きと安堵《あんど》のあまり、しゃべることも忘れて、ホビットたちはできる限りの速さでかれのあとを追って行きました。しかしそれでもおそすぎたのです。トムの姿は間もなくみんなの前から見えなくなりました。かれの歌う声もだんだんかすかに遠のいて行きました。突然、おーい、おーいと呼ばわるかれの声が、風に乗って戻ってきました。

どんどん跳んでこい、小さな友たち、
枝垂川《しだれ》をかけてこい。
トムは、先にいくよ、

蠟燭《ろうそく》をともすために。
日は西に沈む、そら、
君たちは、手さぐりで歩く。
夜の影が落ちる時、戸口はひらく。
窓から明かりが黄色くまたたく。
黒い榛《はん》の木を恐れるな、
老いぼれ柳を気にするな、
根っこも枝も、こわがるな。
トムが、みんなの先払い。
さあ、おいで！　楽しくやろう！
みんなの来るのを待ってるよ。

そのあとホビットたちにはもう何も聞こえませんでした。陽が、またたくまに背にしてきた木々の中に沈んで行くように見えました。かれらは夕暮れの斜めの陽がブランディワイン川の川面《かわも》をきらきらと照らし、バックル村の窓々が何百という明かりにきらめき出すときのことを考えました。大きな影がかれらの通る道をよぎって落ちていました。木々の幹や枝が黒々と道にかぶさっておびやかすようでした。水面には渦巻くように霧が立ち昇り始め、川端に生えている木々の根元にまで広がっていきました。かれらの足許の地面からも水蒸気がぼうっと立ち昇り、たちまちあたりを領する夕闇にまざり合いました。

道を辿《たど》って行くことはだんだんむずかしくなってきました。それにかれらは疲れはてました。脚は鉛のようでした。道の両側の茂みや芦の間をカサコソとふしぎな音が走りました。薄墨色の空を見上げると、黄昏《たそがれ》の光の中におかしなふしこぶだらけの顔がいくつも暗くぼうっと浮き上がり、高い土手や森のきわからかれらをにらみつけているのが目にはいりました。かれらには、この森全体が現実のものでないように思えてきました。けっして覚めることのない不吉な夢の中をよろめきながら歩いているような気がしてきました。

足の速度がだんだんにぶり、もう動けないと思ったちょうどその時、かれらは地面が緩やかな上りになってきたことに気づきました。川の水はサラサラと歌い始めました。暗闇の中で泡立つ水が白く微《かす》かに光るのが見えました。川の水が小さな滝の上を流れ落ちているのでした。その時、不意に木立ちが終わりになり、霧もあとに残されました。かれらは古森《ふるもり》から脱《ぬ》け出したのです。目の前には上り坂の広い草原が開けていました。川は今では幅の狭い急流となり、楽しげにほとばしりながらかれらの方に流れてきました。もうすでに空に輝き始めた星の光を受けて川の水がきらっきらっと光りました。

かれらの足許の草は、まるで刈りこんであるように、短く長さがそろっていました。後ろの森の前面の枝には生け垣のようにきちんと鋏がはいっていました。かれらの前の道は今でははっきりと道らしくなり、よく手入れがされ、石で縁どってありました。道はうねうねと上って、薄暗い星空の下に今は薄黒く見える小さな草山の頂上に達していました。そこまで登ると、さらに向こうにスロープがあり、そこに一軒の家のまたたく灯が見えました。道はふたたび下りになり、それからまた上りになりました。長いなだらかな芝生の斜面を明かりの方に向かって上っていきました。突然幅広い黄色の光が、開かれたドアから流れ出しました。上って下って、かれらの前に、丘の麓《ふもと》に、トム・ボンバディルの家がありました。その後ろには、灰色の塚山の尾根が聳《そび》え立っていました。その向こうには、塚山丘陵の山々の黒っぽい姿が、東の夜空にまでのび広がっていました。

ホビットたちも小馬たちも、みんな足を速めました。かれらの疲れも、かれらの恐れもすでに半ば消え去っていました。「さあ！　楽しくやろうよ、ラン！」家の中から歌声が響いてかれらを出迎えました。

さあ！　楽しくやろうよ、ラン！
ひょいひょい跳んでこい、皆の衆！
ホビットたちよ！　小馬もおいでよ！
わしらは、会が大好きだ。
さあ、ゆかいにやろう！

いっしょに歌おう！

その時、別の澄んだ歌声が響きました。それは、春のように若々しく春のように年古《ふ》り、そしてまた、山々の明るい朝から夜の中へそそぎこむ喜ばしい水の歌にも似た、銀のような声音で、かれらを出迎えたのでした。

さあ、歌い始めましょう。さあ、ご一緒に。
日と星と月、霧と雨、雲多い日のことを、
芽吹きの光、羽根の露を、
草山の風、荒野のつりがね草を、
木陰の池の辺の芦と、
水に浮く水蓮を、うたいましょう。
トム・ボンバディルと川の娘よ！

そして、その歌とともにホビットたちは戸口に立って、家から射す金色の光に包まれました。

七　トム・ボンバディルの家で

　四人のホビットたちは幅の広い石の敷居をまたぎ、またたきしながらそこに立ちました。かれらは天井の低い細長い部屋の中にいました。屋根裏の梁《はり》から下がって揺れているたくさんのランプの光が部屋を満たしていました。そして磨きこまれた黒っぽい木のテーブルの上には丈の高い黄色い蠟燭《ろうそく》がたくさん立っていて、明るく燃えていました。

　部屋の奥の、入口を向いた椅子に、女の人が一人すわっていました。長い黄色い髪の毛が波うって両肩に流れ、着ている長衣は緑色でした。それは萌え出たばかりの芦の緑色で、露の玉のような銀の粒がちりばめられていました。黄金色のベルトはあやめの花をつないだような形をしていて、花々の中心には忘れな草の薄い空色の石が象眼《ぞうがん》されていました。その女の人の足許を緑がかった茶色の陶器でできたいくつかの大きな水盤がとりかこんでいて、白い水蓮を浮かばせていましたので、その人はまるで池の中の玉座にすわっているように見えました。

「おはいりなさい、お客さま方！」と、女の人はいいました。それを聞いてホビットたちは、さきほど聞こえた歌声が、この澄んだ声であったことを知りました。四人はおずおずと二、三歩部屋の中に進みました。そして低く頭を下げました。その時のかれらの気持ちは、一杯の水を所望して田舎家の戸口を叩いてみたら、それに答えて現われたのが生きた花の着物を着た若い美しいエルフの女王だったとわかった時のような、ふしぎな驚きと気おくれでした。しかしかれらが口も利《き》けないでいるうちに、その人は軽やかに立ち上がり、水蓮の鉢を飛び越えて、笑いながらかれらの方に走り出て来ました。走る足どりにつれて、長い衣《ころも》が川のふちの花の茂みを風が吹き抜けるときのような軽やかな衣《きぬ》ずれの音をたてました。

「ようこそ、皆さん！」女の人はそういうとフロドの手を取りました。「さあ、笑って、楽しんでください！　わたくしはゴールドベリ、川の娘です。」それからかの女は一同の横を軽やかに通り過ぎると、入口のドアを閉ざし、くるりと向き直ってドアを背に、白い両腕を広げてドアを押さえるようにしました。「夜を閉め出してしまいましょう！」と、かの女はいいました。「皆さん方はきっとまだ怖がってますね。靄《もや》や木の影や深い水や野生のものたちのことを。何も怖がってはなりません！　今夜は皆さんはトム・ボンバディルの屋根の下においでなのですから。」

ホビットたちはただもう驚きの目でかの女を見つめていました。かの女もかれらの一人一人に目をやって、にっこりしました。「美しいおかた、ゴールドベリさま！」フロドは自分でも理解できない喜びに心を動かされて、ようやく口を切りました。かれは美しいエルフの声に魅せられたときのように立ちつくしていました。しかし今かれをとりこにしているこのふしぎな魅力はそれと同じではありませんでした。今のこの喜びはそのときのものほどはげしくも、高調子のものでもありませんでしたが、もっと深い、もっと人間味にふれるものでありました。すばらしいと感じはしても、風変わりなふしぎさに思えません。「美しいおかた、ゴールドベリさま！」かれはもう一度繰り返しました。「今こそ、わたしたちの聞いた歌にかくされていた喜びがわたしにははっきりとわかりました。

おお、柳の枝のように、すらりとした、
おお、澄んだ水より、澄みきった、
おお、さやぐ池の辺の芦よ、
美しい川の娘よ！
おお、春と夏、そしてまためぐりくる春！
おお、滝つ瀬の風よ！
木の葉の笑いさざめくささやぎよ！……」

突然かれはいい止め口ごもりました。自分がこんな歌を口ずさんでいるのを聞いて驚いてしまったのです。けれどゴールドベリは声をあげて笑いました。
「うれしいこと！」と、かの女はいいました。「ホビット庄の方々がこんなにたくみないい回しをなさるとは聞いていませんでしたわ。だけど、あなたはエルフの友達ですね。あなたの目の光と声のひびきでそれがわかりますよ。今夜は愉快な集まりです！　さあ、おすわりください。そしてこの家の主人をお待ちください！　もう間もなく参ります。あなた方の疲れた小馬の世話をしていますから。」

ホビットたちは喜んで藺草《いぐさ》で座を編んだ低い椅子に腰を下ろしました。一方ゴールドベリはテーブルの支度を始めました。ホビットたちはかの女の動きを目で追いました。そのほっそりした優雅な身のこなしがかれらを静かな喜びで満たしたからでした。家の裏手のどこからか歌声が響いてきました。なん度もなん度も出てくる陽気な鐘の音のような囃《はや》し言葉にまじって、時々、次のような繰り返しの言葉があるのを、かれらは聞き取りました。

トム・ボンバディルは、陽気なじいさん。
上着は派手な青で、長靴は黄よ。

「美しいおかた！」しばらくしてフロドはまたいいました。「わたしのおたずねすることをばかばかしいとお思いでなければ、どうぞ教えてください。トム・ボンバディルというのはどなたですか？」

「あの方です。」ゴールドベリはそのよどみない動きを止め、にっこりしました。フロドはいぶかしげにかの女に目を向けました。「あの方です。あなたがごらんになったとおりです。」かの女はかれのまなざしに答えていいました。「あの方は、森と水と丘の主人なのです。」

「それでは、このふしぎな土地は全部あの方のものなのですか？」

「そうではないのです！」と、かの女は答えました。顔から微笑が消えかけました。「そういうことになればさぞ重荷でしょうが、」かの女はまるで独り言のように低い声でそうつけ加えました。「この土地に生えるもの、生きるもの、草木一切は、それぞれ自分自身に属しているのです。トム・ボンバディルは主人です。森の中を歩こうと、水の中を渉ろうと、丘の頂に跳んで行こうと、光の下であろうと、影の中であろうと、だれ一人トムをとらえたことはないのです。トムは何も怖くないのです。トム・ボンバディルは主人です。」

　ドアが開き、トム・ボンバディルがはいって来ました。かれはもう帽子をかぶっておらず、その代わりに秋の木の葉で編んだ冠がその濃い茶色の髪の毛を飾っていました。かれは声をあげて笑うと、ゴールドベリのところに行って、その手を取りました。

「これなるはわたしの愛する美しいひと！」かれはそういって、ホビットたちにお辞儀をしました。「これなるは、銀と緑の衣裳着け、帯に花飾りを着けたわたしのゴールドベリ！　テーブルにはご馳走が並んだか？　よしよし、あるな、黄色いクリーム、蜂の巣にはいった蜂蜜、白いパン、そしてバターにミルクにチーズ、それに摘んできた緑の野草に熟したベリー。これでみんなにたっぷりあるかな？　もう夕食にできるかな？」

「できますよ、」と、ゴールドベリはいいました。「でもお客さまはそうじゃないでしょうね？」

トムは両手をパチンと打ち鳴らし、声をあげました。「トム、トム！　お客さまはお疲れだ、それをもう少しで忘れるところ！　さあさあ、わたしの愉快な友達よ、トムがさっぱりさせてしんぜよう！　汚れた手をきれいにしなされ、疲れた顔を洗いなされ、泥だらけのマントを脱ぎ、もつれた髪に櫛を入れなされ！」

かれは、ドアを開けました。みんなはあとについて、短い廊下を通り、それから急に角を曲がりますと、屋根の傾斜した天井の低い部屋に来ました（建物の北端に造りつけた、差しかけ小屋のようなものでした）。壁は清潔な石でできていましたが、ほぼ全面に緑のマットや黄色のカーテンがかかっていました。床には板石がはめこまれ、ま新しい緑の藺草《いぐさ》が敷かれていました。部屋の片側には床の上にじかに厚いマットレスのベッドが四つ並べて置かれ、それぞれに白い毛布がいくつも積み重ねてありました。反対側の壁に寄せて、長いベンチが置かれ、その上にはたっぷりした大きさの陶器のたらいが数だけのせてありました。ベンチの横には茶色の水差しがいくつか立っていましたが、水のはいっているものもあれば、湯気の立つお湯がはいっているものもありました。それぞれのベッドのそばには、柔らかい緑のスリッパが用意されていました。

やがてホビットたちは、汚れをきれいに洗い落とし、さっぱりして、テーブルにつきました。片側に二人ずつすわり、テーブルの両端にはゴールドベリと主人がすわりました。時間をかけた愉快な食事でした。ホビットたちは餓えたホビットたちだけが食べられる限り食べたのですが、何一つ足らぬ物はありませんでした。大きな杯にはいった飲物は透明なただの水のように見えましたが、まるでぶどう酒のような酔心地となり、おじけずに声が出せるようになりました。客たちは、自分たちが愉快に歌っていることに突然気づきました。歌うほうが、話すよりもやさしく自然であるかのようでした。

ようやくトムとゴールドベリが立ち上がり、すばやくテーブルを片づけました。客たちはおとなしくすわっているように命ぜられました。銘々疲れた足に足置きがあてがわれ、椅子に腰かけさせられました。かれらの前の大きな煖炉には火が燃えていて、まるでりんごの木でも燃やしているようないい匂いがしました。後片づけがすっかりすむと、ランプ一つと、炉棚の両端に一つずつ置かれた蠟燭《ろうそく》を残し、部屋中の明かりが消されました。それからゴールドベリが蠟燭を一本手に持ってやって来て、みんなの前に立ち、お休みなさいの挨拶《あいさつ》をいい、どうぞぐっすりお眠りくださいといいました。

「どうぞ、安らかに！」と、かの女はいいました。「朝がくるまで！　夜の物音を気にしてはなりません！　月の光、星の光、丘の頂から吹く風のほかは、何一つこの家の戸口や窓を通るものはありませんから。お休みなさい！」ほのかな明かりに照らされて、衣《きぬ》ずれの音とともにかの女は部屋から出て行きました。かの女の歩む足音は、冷たい石の上を麓《ふもと》に流れ落ちる、静かな夜のせせらぎのようでした。

トムはしばらくの間黙って客たちのそばにすわっていました。客たちの方はそれぞれ、食事の時から聞こう聞こうと思っていたいろいろな質問の一つでもなんとか勇気をふりしぼってたずねてみたいものだと思っていました。眠気が瞼《まぶた》にしのび寄ってきました。とうとうフロドが口を利《き》きました。

「ご主人、あなたはわたしが叫んだのをお聞きになったのですか？　それともあの時偶然あそこを通られただけのことなのですか？」

トムは心地よい夢から突然揺り起こされた人のように身動きしました。「えっ、なんだって？」と、かれはいいました。「わたしがあんたの叫び声を聞いたかだって？　いいや、聞かなかった。わたしは歌うのに忙しかった。わたしがあそこを通ったのはただの偶然だよ、あんたがそれを偶然と呼ぶならばね。通るつもりで通ったのではない。だけどわたしはあんたを待ってはいたんだよ。わたしたちはあんたのことを聞いていた。そしてあんたが旅に出たことを知っていた。わたしたちは間もなくあんた方があの川のところにやって来るだろうと思っていた。すべての小道はあそこに通じてる。枝垂《しだれ》川に下りてくるようになっている。灰色柳のじいさん、あいつはたいへんな歌い手で、小さな衆があいつのずるがしこいまどわかしを逃《のが》れるのはなまやさしいことではない。だけどトムはあそこに用があった。それはあいつも邪魔立てできない。」トムはまるでふたたび眠気におそわれたように、頭をうなだれましたが、そのまま低い声で歌い出しました。

わたしは、あそこに用があった。

水蓮の花を摘むために、
美しいあのひとを喜ばす、
緑の葉をもつ白い水蓮を。
今年最後の花を摘もう、
この冬を越して、雪がとけるまで、
あの人の美しい足もとに、
また花咲かすために、
年ごとの夏の終わりに、あの人のために、
枝垂《しだれ》川のはるか下手の、
深く澄んだ広い淵に、水蓮を探しにゆく。
春、先がけて咲き、
夏は最後まで咲き残る、
その淵のそばで、むかしわたしが見つけたのは、
藺草《いぐさ》のなかにすわっていた、
美しい若いゴールドベリ、川の娘よ。
その時もかのひとの歌声はやさしく、
かのひとの胸は、高なっていた！

かれは目をあけ、ふと眼を光らせて客たちの方を見ました。

それがあなたがたに、よい事になったね。
なぜって、わたしはもう森の川ぞいに
遠く下手へいきはしないもの、今年のうちは。
それに柳じいさんの住居《すまい》によりはしないもの、
楽しい春が来るまでは。
春になれば、それ、川の娘が、
踊りながら、うねうね道を駆けおりて、
流れの水で水浴びをするだろう。

かれはまた黙りこんでしまいました。しかしフロドはもう一つ質問をせずにはいられませんでした。それはかれが一番教えてもらいたいと思っていたことでした。「教えてください、ご主人、」と、かれはいいました。「柳おとこのことを。あれは何者ですか？　わたしは今まであんな者のことを聞いたこともありません。」

「だめだ。やめてください！」メリーとピピンが同時にそういって、急に体を真っ直にすわり直しました。「今はいわないでください！　あしたの朝までは！」

「もっともだ！」と、老人はいいました。「今は休む時間だ。この世が闇につつまれるときに聞くには気味の悪い話もあるものだ。朝の光が射すまではお眠り、枕に頭を休ませて！　夜の物音を気になさるな！　灰色柳を恐れなさるな！」そういうと、かれはランプを取りはずして、明かりを吹き消しました。それから両方の手に蠟燭《ろうそく》を一本ずつ握ると、客たちを案内して部屋を出ました。

マットレスも枕も、羽根のようにふわふわしていました。毛布は白い毛織の毛布でした。かれらはふかふかのベッドに身を横たえ、軽い毛布を胸もとに引き上げる間もなく、もう眠ってしまいました。

草木も眠る真夜中、フロドはなんの明かりも射さぬ夢の中で横になっていました。やがて新月が上ってきました。そのかすかな光に照らされて、かれの前に黒々とした岩壁がぼうっと見えてきました。そこには大きな門のような暗いアーチがくりぬかれていました。フロドは体が持ち上げられたような気がしました。上を通り過ぎる時、かれは岩壁と見えたものが環状に連なった丘陵であることを知りました。その真ん中には平原があり、平原の真ん真ん中には、石の尖塔が立っていました。それは大きな塔のようでしたが、人の手によって造られたようには見えませんでした。その頂に一人の人影が立つのが見えました。月は上る途中、かれの頭上でしばし留まるように見えました。そして風がかれの白い髪を吹き上げると、月の光がその髪に反射してきらめきました。下の暗い平原から、恐ろしい叫び声と、たくさんの狼の吠え声が聞こえてきました。突然、大きな翼を持ったものの影が、月をよぎってとびました。塔の上の人影は両手を上げ、かれがふり回す杖から一すじの光が放たれました。巨大な鷲《わし》がまい降りて、かれを運び去りました。恐ろしい声は泣き叫び、狼たちは不満の声をあげました。そこへ風が強く吹くような音が聞こえてきました。そしてその風に乗って馬の蹄《ひづめ》の音が聞こえてきました。東の方から疾駆して迫ってくる音でした。「黒の乗手だ！」フロドは目を覚ましながらそう思いました。蹄の音はまだ心の中にこだましていました。かれは、この安全な石の壁の部屋を出て行く勇気がはたしてふたたび湧いてくるだろうかと疑いました。かれはじっと身動きもせず、まだ聞き耳を立てていました。しかし今はもうすべてが静まり、とうとうかれも体の向きを変えて、ふたたび眠り込んでしまいました。というより、記憶に残らない別の夢の中にさ迷いこんでいきました。

かれの隣りでは、ピピンが楽しい夢を見ていました。しかし、その夢に変化が起こり、寝返りを打ってうめきました。不意にかれは目を覚ましました。あるいは覚ましたように思いました。それでも夢を乱した音が暗闇の中にまだ聞こえてきました。トントン、ギーギー、枝が風に騒ぎ、梢の先が壁や窓をこする音でした。ギシギシギシ。いったいこの家のすぐそばに柳の木があるのだろうか、ピピンはその時、自分が今いるのは家の中ではなく、柳の木の内側であって、今聞いてるのは、あの恐ろしい乾いたきしみ声がまた自分のことを笑っているのだと思いました。かれは体を起こし、ふかふかの枕が両手の重みでへこむのを感じ、ほっとしてふたたび横になりました。耳の中に次の言葉がこだまするのが聞こえるような気がしました。「怖いものはありません！　朝がくるまで安らかに！　夜の物音を気にしてはなりません！」それからかれはふたたび眠ってしまいました。

メリーがその静かな眠りの中で聞いたのは、水の流れ落ちる音でした。水が静かに流れてきて、この家の周りにもうどうしようもないくらいどんどん広がり、とうとう岸も見えないくらいの暗い池になってしまいました。水は壁の下でゴボゴボいいながら、少しずつしかし確実に水かさを増してきます。「溺れてしまう！」と、かれは思いました。「今に中にはいってくるだろう。そしたら溺れて死ぬ。」かれはやわらかなどろどろした泥の中に寝ているような気がしました。そして跳び起きた拍子に片足を冷たくて硬い平石の隅にあてました。そしてやっと自分がどこにいるかを思い出して、ふたたび横になりました。かれは次の言葉を耳にしたような、あるいは聞いたのを思い出したような気がしました。「月の光、星の光、丘の頂から吹く風のほかは、何一つこの家の戸口や窓を通るものはありません。」さわやかな空気がわずかに動いて、カーテンがかすかに揺れました。かれはほーっと深く息をついて、ふたたび眠りにおちいりました。

サムは、覚えのある限りでは、朝まで丸太ん棒のように安心しきって眠りました。もし丸太ん棒に安心があるならばの話ですが。

ホビットたちが四人とも一度に目を覚ました時には朝の光が射し込んでいました。トムが椋鳥《むくどり》のように口笛を吹きながら部屋の中を動き回っていました。みんなが起き出してきたのが聞こえると、かれは手を打って叫びました。「さあさあ！　おいで！　楽しくやろう。陽気にな。皆の衆！」かれは黄色いカーテンを引きました。ホビットたちは、カーテンが窓にかかっていて、部屋の両端に一つは東にのぞみ一つは西にのぞむ窓があったことを知りました。

四人は気分もさわやかにはね起きました。フロドが東の窓辺に走り寄りますと、そこから露の置く裏庭が見えました。実はかれは家の壁のところまで芝土がずっと続いていて、そこにあばたのように蹄《ひづめ》の跡が残っているのではないかと半ば予期していたのでした。ところが実際はかれの視界は支柱を使って一列に高く仕立てられた豆の木に遮られてしまいました。しかし並んだ豆の木を越えてはるか向こうに、丘の黒っぽい頂が朝日を背にぼうっと浮き上がっていました。うすぐもりの朝でした。端が赤く染まった何本もの汚れた毛糸のような細長い雲の後ろにきらきらと黄色に光る空がありました。一雨《ひとあめ》きそうな空模様でした。しかし朝の光は速やかに広がっていきます。赤い豆の花が濡れた緑の葉に照り映えて、一きわ鮮やかさを増し始めました。

ピピンは西の窓から、朝靄《もや》の海を見下ろしました。古森《ふるもり》は霧の下に隠れてしまっています。高いところから傾斜した雲の屋根を見下ろすような眺めでした。一個所、霧が切れて、綿毛をちぎったように渦巻いている山ひだのような水路のようなものがありました。それが枝垂《しだれ》川渓谷でした。この川は左手の丘から流れ出し、白い影の中に消えていきました。すぐ手前には花の咲く庭と、銀色のくもの巣のかかった刈り込んだ生け垣がありました。その向こうには、朝露をふくんで白っぽく見える、短く刈りこんだ灰色の芝生がありました。柳の木は一本も見あたりませんでした。

「お早よう、愉快な皆の衆！」トムはそう叫んで、東の窓を開け放ちました。ひいやりした空気が流れ込みました。雨の匂いを帯びていました。「お天道さまは今日はたいして顔を見せないだろうよ。灰色の夜明けがきてから、わたしはあちこちの丘の頂を跳び回ってずいぶん歩いてきた。風と天気の匂いを嗅いだ。足許には湿った草、頭上には湿った空があった。わたしは窓の下で歌を歌ってゴールドベリを起こした。しかし何をもってしても、ホビットの衆を朝早く目覚めさせることはできなかった。小さな衆は夜、暗闇の中に目を覚まし、朝の光が訪れたあとまで眠る！鳴らせや、リン、ラン！　さあ、目を覚ませ、わたしの愉快な友達よ！　夜の物音を忘れなさい！　鳴らせや、リン、ラン、ロン！　ラン、ロン、皆の衆！　今すぐ来れば、食卓に朝の食事がのっている。おそくやって来れば、もらえるものは草に雨水！」

いうまでもなく――トムのおどかしがいかにも本気めいて聞こえたからというわけでなく――ホビットたちはすぐにテーブルにやって来ました。そしておそくまですわっていました。かれらがようやくテーブルを離れたのは、食卓の上が少々さびしくなりだしてからでした。トムもゴールドベリもそばにはいませんでした。トムのたてる音は家の内外あちこちから聞こえてきました。台所でカタカタやっていたかと思うと、階段を上ったり降りたり、そうかと思うと家の外のここかしこで歌声がしました。この部屋は西に面して、靄《もや》のかかった谷間を見晴らしていました。窓は開け放たれていました。草ぶきの軒先からは水が滴《したた》り落ちていました。ホビットたちが食事を終えないうちに、切れ切れの雲が寄り集まって、切れ目のない雲の屋根となり、真っ直な灰色の雨がしとしとと小止みなく降り出しました。森はその厚いカーテンの背後にすっかり隠されてしまいました。

かれらが窓から外を眺めていると、まるで雨を伝って空から流れ落ちてくるようにゴールドベリの澄んだ歌声が上の方からやさしく降ってきました。言葉はほとんど聞こえませんでしたが、それが雨の歌であることはよくわかる気がしました。それは乾いた山々に降りそそぐ驟雨《しゅうう》のように快く、高地に湧き出て、はるか下の海にそそぎ込む川の話を語りうたっていました。ホビットたちは喜んで聞き入りました。フロドは心ひそかにうれしく思い、この思いやりのあるお天気を祝福しました。この雨のおかげで出発を遅らすことができるからでした。行かねばならないという思いは、朝目覚めた時から重くかれの心にのしかかっていたのでした。しかしこの様子では、今日はもう出かけないですみそうだと思われたのです。

上空を吹く風は西方に落ち着き、もっと雨を含んださらに厚い雲がもくもくと湧き起こって、塚山丘陵のむき出しの頭の上に、満載した雨をまき散らし始めました。家の周囲には降ってくる雨のほかには何一つ見られません。フロドは開いた戸口のそばに立って、白墨のように白い小道が、ミルク色の小さな川と変わり、泡立ちながら谷の方に流れて行くのをじっと見ていました。トム・ボンバディルが急ぎ足で家の角を曲がって来ました。まるで雨をよけようとでもしているように両手をふりふりやって来ます——ところがどうでしょう。敷居を跳び越えて来たかれの様子を見ると、靴のほかはほとんどどこも濡れていないのです。かれは濡れた靴を脱ぎ、煖炉のすみに置きました。それからかれは一番大きな椅子にどっかとすわって、ホビットたちに声をかけ、自分の周りに集まるようにいいました。

「今日はゴールドベリの洗濯日なのさ、」と、かれはいいました。「ゴールドベリが秋の洗いものをするんだよ。だが、ホビットの衆にはちと降りすぎる——ホビットの衆には休める間に休んでもらおう！　こんな日は長い話を聞いたり、質問したり、答えたりするのにはいい日だ。そこでトムがまず話を始めるとしよう。」

かれはそれからホビットたちに数々のいともふしぎな物語を話して聞かせました。ときには半ば独り言のように語り、ときには太い眉毛の下の明るい青い目を不意にホビットたちに向けました。しばしばかれは歌をうたい出し、椅子から離れて踊り回るのでした。かれは蜜蜂や花たちの話、木々のくせのこと、そして古森《ふるもり》に棲む変わった生きものたちのこと、悪しきものと善きもののこと、友情をもつものと敵意をもつもののこと、残忍なものとやさしいもののこと、そして茨の下に隠された数々の秘密について語るのでした。

話を聞いているうちに、ホビットたちは自分たちとはちがう、森に棲むものたちのことがわかり始めました。ほかのものたちが皆自分の居場所としてくつろいでいるところでは、自分たちはよそ者なのだと感じたほどでした。トムの話の中に始終出たりはいったりしたのは柳じいさんでした。そしてフロドは今や心ゆくまで十分かれのことを知ることができました。十分すぎるほどといってもいいいくらいでした。というのは、それはあまり気持ちのいい話ではなかったからです。トムの言葉は木々の心や、その思いを露わにしてみせました。木々の思いも心も、変わっていてわかりにくいことが多く、それは地上を自由に歩き回り、かじったり、かんだり、折ったり、切り刻んだり、燃やしたりする者たち、破壊者と強奪者への憎しみに満ちていました。この森が古森と呼ばれるのも故なしではありませんでした。これは事実とても古い森だったのです。もうすっかり忘れ去られた昔の広大な森林の生き残りでありました。そしてこの森の中には、山々よりもゆっくりと年を取ってきた木の祖先の祖先が今なお生きていて、自分たちが主人であった時代のことを憶《おぼ》えているのでした。数え切れないほどの年数が、かれらを自尊心と深く根づいた知恵と悪意とで満たしました。しかしかの大柳ほど危険なものは一つもありませんでした。かれの心は腐っていましたが、かれの力はみずみずしく、狡智にたけ、風を治め、かれの歌と思いは川の両側の森を端から端まで駆け抜けました。かれの灰色に乾いた心は、土の中から力を吸いあげ、地中に糸のような細い根を張り、空中に目に見えない小枝の指を広げ、ついには、高垣から塚山丘陵に至るまでの古森の木のほとんどすべてをその勢力下におさめてしまったのでした。

突然トムの話は森を離れ、跳びはねながら若い流れをさかのぼりました。泡立つ滝を跳びこえ、小石の上、磨滅した岩の上をまたぎ、茂った草の中や、濡れた割れ目に咲く小さな花々の間を跳んで、あちこち道草しながら塚山丘陵に達しました。かれらは大古墳群のこと、緑の塚山のこと、山々の上や、山々の間の谷間にある石の環《わ》のことを聞きました。羊が群れをなして鳴いていました。緑の城壁が建ち、白い城壁が建ちました。高台には砦《とりで》ができました。小さな王国の王たちが互いに戦いました。若い太陽が、王たちの新しい貪婪《どんらん》な剣の赤いやいばに火のようにきらめきました。勝利があり敗北がありました。塔は崩れ、砦は燃え、焔《ほのお》が空を焦がしました。死んだ王たちや王妃たちの棺台《ひつぎだい》には黄金が山と積まれました。そして塚がそれをおおい、石の戸が閉められ、草が一面に生えました。しばらくの間は羊が草を食《は》んで歩き回りました。しかし間もなく山々にはふたたび何もいなくなりました。すると、はるか遠くの暗い場所から一つの影が現われ、塚の中の骨たちが呼びさまされました。塚人《つかびと》たちが冷たい指に指輪をカチカチ鳴らし、風に金の鎖をがちゃつかせて、窪地を歩きました。石の環が月の光に照らされて、欠けた歯のように、土の中からギラッとむき出されました。

ホビットたちは身ぶるいをしました。ホビット庄にいる頃から、古森《ふるもり》の先の塚山丘陵の塚人たちの噂《うわさ》は耳にしていました。しかしこんな者たちのことは、はるか離れたホビット庄の心地よい炉端でさえ、だれ一人聞くのを好まない話でした。四人のホビットたちは、この家に満ち溢れた喜ばしい気分のために今まですっかり忘れていたことを、今突然思い出しました。トム・ボンバディルの家はほかでもないこの恐ろしい丘陵の肩の陰に抱かれていたのです。かれらはトムの話

Zeras.

の続きを聞き逃《のが》し、不安そうに体を動かして、互いに顔を見交わしました。

かれらの耳にふたたびトムの言葉が聞こえてきた時、かれの話は、かれらの記憶のかなた、かれらの覚めた意識のかなたのふしぎな境界にさ迷いこんでいました。それは世界が今より広く、大海の水が西の岸辺にまっすぐ打ち寄せていた時代のことでした。トムはなおも時代をさかのぼって歌い続け、エルフの父祖たちだけがすでに目覚めていた古代の星明かりまで歌い及びました。それからかれは不意に歌い止めました。見ると、頭をうなだれ、まるで眠ってしまっているようでした。ホビットたちは魅せられたまま、かれの前にじっとすわっていました。そしてまるでかれの言葉の魔力で、風は止み、雲は晴れ上がり、昼は退き、暗闇が東と西から迫り、満天に白い星々の光が満ち始めたように思えました。

一日の朝と晩がたったのか、たくさんの日の朝と晩がたったのか、フロドにはわかりませんでした。かれは空腹も感じなければ、疲れも感じませんでした。かれはただ驚きに満たされていました。星々が窓に光り、夜空の静けさがかれを取り巻くように思えました。かれは驚きの気持を押さえかね、そしてまたこの静けさが急に恐ろしく思われて、とうとう口を利《き》きました。

「あなたはどなたですか、ご主人？」と、かれはたずねました。

「えっ、なんだって？」トムはそういって体を伸ばしました。うす暗がりの中で、その目がきらっと光りました。「あんたはまだわたしの名前を知らないのかね？　答はこれだけだ。あんたはわたしにだれかというが、そういうあんたはだれなのかね？　あんたはただひとりで、あんた自身で、そして名前なき者ではないかね？　ただあんたは若く、わたしは年寄りだ。最年長、それがわたしの正体だ。いいかね、皆の衆、トムは川や木よりも先にここにいた。トムは最初に降った雨の粒、最初に実ったどんぐりの実を憶《おぼ》えている。かれは大きい人たちより以前に道を作り、小さい人たちがやって来るのを見た。かれは王たちや墓穴や塚人《つかびと》たちより先にここにいた。エルフたちが西方へ渡り始めた時、トムはすでにここにいた。海が湾曲する前のことだ。かれは星々の下の暗闇が恐れを知らなかった頃のことを知っている――外の世界から冥王が来る以前のことだ。」

窓のそばを影が通り過ぎたように見えました。ホビットたちはあわてて窓に目をやりました。かれらがふたたびもとに向き直ると、後ろの戸口に、明かりに囲まれて、ゴールドベリが立っていました。かの女は片手に蠟燭《ろうそく》を持ち、片手を焰《ほのお》にかざして隙間風を防いでいました。陽の光が白い貝がらを透かすように、その手を通して光が流れました。

「雨が止みました。」と、かの女はいいました。「星の下を、新しい水が丘を流れ落ちています。さあ、笑いさざめき楽しみましょう！」

「それから食べたり飲んだりしよう！」とトムが叫びました。「長話はのどが乾く。そして長話を聞くのは腹の空《す》く仕事だ。朝から昼、そしてもう夕方だ！」かれはそういうと椅子から跳び出し、ひと跳びで炉棚から蠟燭を一本取り、それをゴールドベリが持っている蠟燭の焰にかざして火を点《とも》しました。それからかれはテーブルの周りを踊り回りました。突然かれはひょいとドアを抜けて姿を消しました。

食べものを満載した大きなお盆を持って、かれは急いで戻ってきました。それからトムとゴールドベリはテーブルの支度をしました。ホビットたちはすわったまま、感嘆したり、笑い声をあげたりして見ていました。ゴールドベリの優雅な物腰はまことに美しく、トムがふざけて跳びはねるさまはまことに陽気でおかしかったからです。ところがこうして二人は互いに相手の邪魔をすることなく、部屋を出たりはいったり、テーブルの周りを回ったりしながら、どうやら一つの踊りを作りあげているようでした。そしてたちまちのうちに、食べものも、器も、明かりも、置かれるべき場所に並べられました。食卓は蠟燭《ろうそく》の光で淡い黄色に輝きました。トムは客人たちに頭を下げました。「夕食の支度ができました。」と、ゴールドベリがいいました。ホビットたちは、かの女が今夜は銀一色の衣裳をまとい、白い帯をしているのを見ました。かの女の靴は魚のうろこに似ていました。けれどトムは雨に洗われた忘れな草のようにすがすがしく青い服に身を包み、緑色の靴下を穿《は》いていました。

前の晩よりさらにおいしいと思われる夕食でした。ホビットたちは、トムの言葉の魔力のもとでは一食だろうと何食だろうと平気で抜かせたかもしれませんが、こうして食べものが目の前に置かれると、少なくとも一週間は何も食べていないような気がしました。かれらはしばらくの間、歌も歌わず、口数さえ少なく、ただ食べる仕事に打ち込みました。しかし一時《いっとき》の後には、かれらの気分も元気もふたたび高まり、声を響かせて陽気に笑いさざめきました。

かれらが食べ終わると、ゴールドベリがたくさんの歌をかれらのために歌ってくれました。かの女の歌は、陽気な調べで山々の中に始まり、静かにしじまの中に落ちてゆきました。そのしじまの中で、ホビットたちが心に見たものは、いままで見たこともないほど広い池、広い川でした。その中を覗《のぞ》きこむと、水の下に空があり、水底に宝石のように輝く星がありました。それからかの女はもう一度かれらの一人一人にお休みなさいの挨拶《あいさつ》をして、炉端にかれらを残して去りました。しかしトムは今はちっとも眠くないと見え、次から次へとかれらに質問を浴びせかけました。

かれはもうすでに、四人のこともまたその家族たちのこともかなり知っているようでした。それにかれは実際、ホビット庄の歴史や出来事の多くを、ホビットたち自身がほとんど憶《おぼ》えていないくらい遠い昔にさかのぼって知っているようでした。でもこのことはもはやかれらを驚かせません。しかしかれは、かれの最近の知識の大半がお百姓のマゴットに教えてもらったものであることをみなにあかしました。かれはマゴットじいさんのことを、かれらが思っていたよりずっと偉い人であると考えているように見えました。「じいさんの足の裏には土、指には泥がある。骨々に知恵があり、あの目は二つながら開いている。」と、トムはいいました。トムがエルフたちとつき合いがあることもまた明らかになりました。そしてフロドの逃走についての知らせは、ある方法で、ギルドールからかれのところに届けられたもののようでした。

トムが実によく知っていたのと、その質問のしかたがとてもうまかったために、フロドはビルボについて、また自分自身の望みや気がかりについて、ガンダルフにも話したことのないようなことまで、ついうかうかとしゃべってしまいました。トムはうなずきながら聞いていましたが、乗手たちのことを聞くとその目がきらっと光りました。

「その大事な指輪というのを見せてごらん！」かれは話のさいちゅうに突然そういいました。そしてフロドは自分でも驚いたことにポケットから鎖を引っぱり出し、指輪をはずして、すぐにそれをトムに渡しました。

指輪は、トムの茶色の皮膚をした大きな手の上にしばらくのせられている間、だんだん大きくなるように見えました。それからかれはそれを不意に片目に押し当て、声をあげて笑いました。一瞬、ホビットたちは、金の環《わ》の中からかれの明るい青い目がきらきら光っている、滑稽であると同時にどきっとするような光景を垣間見たのでした。それからトムは、指輪を自分の小指の先にはめ、蠟燭《ろうそく》の明かりにかざしてみました。それでもホビットたちはしばらくの間は、別にこのことをおかしいとも思わずにいました。それからかれらは息が止まるくらいびっくりしました。トムの姿は全然消え失せそうもないではありませんか！

トムはまた声をあげて笑うと、今度は指輪を空中にくるくるっと放り上げました——指輪はぱっと光を放って見えなくなりました。フロドはアッと声をあげました——するとトムは前屈《まえかが》みになって、にっこり笑いながら、指輪をフロドに戻してくれました。

フロドは幾分疑わしそうに、しげしげとそれを眺めました（ちょっとした服飾品か何かを手品師に貸してやった人がするように)。それは同じ指輪でした。少なくとも同じ指輪のように見えましたし、手に持った重さも同じでした。というのは、この指輪はいつも手にのせると奇妙に重たくなるようにフロドには思えたからです。しかしかれは、何かにそそのかされたように急に確かめてみたくなりました。かれはもしかしたら、あのガンダルフでさえあんなに怖がるくらい重大に思っていたものを、トムがいとも軽く考えているらしいのを見て、ちょっとばかり腹を立てたのかもしれません。かれは機会をうかがっていました。話はふたたび続けられ、トムが穴熊とその変わった習性について、あり得ないようなおかしな話をしている時でした——その時、フロドは指に指輪をすべりこませました。

メリーは何かいおうとしてかれの方を向き、はっと驚きましたが、叫び声を押し殺しました。フロドは(ある意味では)喜びました。これはまちがいなくかれ自身の指輪です。なぜなら、メリーがぽかんとしてかれの椅子をただじっと見ているのですから、明らかにかれにはフロドが見えないに違いありません。かれは立ち上がって、忍び足でそっと炉端を脱け出して戸口の方に行きかけました。

「おーい、こら!」トムがそのよく光る目によく見えているといった表情を浮かべて、かれの方を見やり、そう呼びかけました。「おーい! おい! フロド、どうした! どこへ行こうというのかい? トム・ボンバディル、老いたりといえど、まだそこまで眼力は衰えていないぞ。その金の指輪をお取り! あんたの手はそんなもののないほうがきれいだよ。戻っておいで! 冗談はやめて、わたしのそばにおすわり！　まだもう少し話をして、明日の朝のことを考えなければならないよ。ぜひトムが正しい道を教えてあげて、あんたたちが迷わないようにしてあげなくちゃ。」

フロドは（満足した気持ちになろうとして）声をあげて笑い、指輪を外しながら元の所に戻り、また腰を下ろしました。トムは今度は、明日は太陽が輝く喜ばしい朝となり、出発も希望に満ちたものになるだろうという観測をみなに告げました。しかし朝早く出発したほうがいいだろうというのでした。というのは、この地方の天気はトムでさえ短い間のことしかはっきりいえないものだったからです。その変わり方は、ときにはトムが上着を着替えるより速いくらいでした。「わたしはお天気の支配者ではない。」と、かれはいいました。「二本足で歩いている者は、だれもそうじゃない。」

かれの忠告に従って、かれらはかれの家から真北に針路を取り、塚山丘陵の西側の比較的低いスロープを越えて行くことにしました。そうすれば、だいたい一日で東街道に出ることができ、古墳群を通ることも避けられるだろうと思いました。かれはみんなに、心配しないで――ただ自分の仕事に心を向けなさいといいました。

「緑の草のあるところだけを行くようにするんだよ。古い石や冷たい塚人《つかびと》たちにかまうんじゃないよ。かれらの家を覗《のぞ》き込むんじゃないよ。あんたたちがたじろがぬ心をもった強者であるなら別だが！」かれはこのことを一再ならず繰り返しました。そしてかれはまた、もしかれらがたまたま道に迷って古墳のそばに出てしまうようなことがあれば、せめてその西側を通るようにしなさいと忠告しました。それからかれは、歌を一つ教えてくれました。翌日かれらが万が一運悪くなんらかの危険か困難に陥った場合、それを歌うようにというのでした。

ほーい、トム・ボンバディル、トムよ！
川と森と山にかけて、芦と柳にかけて、
火と日月《にちげつ》にかけて、ぜひ聞いておくれ。
来てよ、トム・ボンバディルよ、
われらに危険が、迫っている！

かれのあとについて、ホビットたちがみんなで一緒にこれを歌うと、かれは笑いながら、みんなの肩を一人一人叩いてやり、それから蠟燭《ろうそく》を持ってまたみんなを寝室に案内して行きました。

八　霧の塚山丘陵

その夜はなんの物音も聞こえませんでした。しかし夢の中でか現《うつつ》でか、さだかにわかりませんでしたが、フロドは快い歌声が心の中を流れるのを聞きました。その歌はまるで灰色の雨の帳《とばり》の背後から射す淡い光のように始まり、だんだん強まって、そのたれ幕はすっかりガラスと銀に変わり、ついにはそれも巻き戻されて、目の前にははるかに続く緑の土地が、するする昇る朝日を受けて広がっていました。

この夢とも現ともつかぬ光景は、フロドが目覚めるとともに消え去りました。そばにはトムが、木にむれる小鳥たちの囀《さえず》りのように、口笛を吹いていました。朝日はすでに丘を染め、開いた窓から部屋の中に斜めに射しこんでいました。家の外はすべてが緑色とおぼろな金色をしていました。

今朝もまた四人だけの朝食をご馳走になったあと、ホビットたちは、雨に洗われたうす青い秋空の下の、このように涼しくて明るくて清らかな朝としては考えられないような重い気分で、暇《いとま》を告げる用意をしました。北西の風がさわやかに吹いていました。ホビットたちのおとなしい小馬たちも、跳ね回らんばかりに、落ち着きをなくして匂いを嗅《か》ぎ回っていました。家の中からトムが出て来て、戸口の前に立って帽子をふり、ぴょんぴょん踊りながら、ホビットたちに馬に乗って急ぎ出かけるようにいいました。

かれらは家の裏手から曲がりくねって続いている道を馬に乗って進んで行きました。それから、ちょうどその陰に家が抱かれている恰好の急な傾斜の山腹を北のはずれに向かってはすかいに登って行きました。最後のけわしい斜面を登るのに、ひっぱっていくつもりで小馬から降りたその時、突然フロドが立ち止まりました。

「ゴールドベリ！」と、かれは叫びました。「銀緑《みどり》に身を包んだ美しいお方！　あの方に別れを告げないで来てしまった。それに昨晩からあの方に会ってもいないのだ！」悲しみのあまり、戻ろうとしたちょうどその時、よく澄んだ呼び声が小波《さざなみ》のように伝わってきました。切り立ったようにけわしい傾斜地にゴールドベリが立って、かれらの方を手招きしていました。長い髪の毛が風になびき、陽の光にきらきらと輝いていました。その踊る足許からは、草に置いた露の玉がきらっと光るように、光がひらめきました。

かれらは最後の坂を大急ぎで登り切り、息を切らしてかの女のそばに立ちました。四人はお辞儀をしましたが、かの女はぐるっと手で指し示して、みんなに周りを眺めるようにいいました。ホビットたちは丘の頂から、朝日の下に広がる国々を眺めました。今その周囲の景色がくっきりと遠くまで眺めやれることは、古森《ふるもり》のあの小山の頂に立って眺めた時、すべてが霧の厚い帳におおおわれていたのといい対照でした。その古森《ふるもり》の小山も、西の方の、暗い木々の間から、そこだけうすい緑の隆起となって盛り上がっているのが見えます。森はその方向に向かってだんだん高くなっており、その一番高い所は朝日を受けて緑に黄に、銅《あかがね》色に輝いていました。その向こうにブランディワインの谷間が隠されているのです。南の方には、枝垂《しだれ》川の流れのかなたに、遠くかすかにガラスのようにぴかっと光るものがありました。低地地帯に流れてきたブランディワイン川がそこでぐっと湾曲し、ホビットたちのあずかり知らぬ土地へ流れ去っていくのでした。北の方を見ると、だんだん遠ざかってゆく丘陵のむこうに、灰色と緑とうすい土色の土地が、幾重にも起伏をくり返して延び、その果てはもうはるかおぼろな影に消えていました。東の方には、塚山丘陵が尾根また尾根と朝日に向かって続き、はるか先の方はもう目ではみえず、なお山が続くものと思うばかりで、はるかかなたに空の縁とまざりあって、かすかに光る白いものと青いものがわずかに山並みかと見えるだけでした。しかしそれを見ていると、かれらは遠い記憶の底から、昔語りに聞いた遠い遠い国の高い山々のことを思い出すのでした。

かれらは深々と空気を吸い込みました。ここからぴょんと跳んで、ひょいひょいと四、五歩大股でまたいで行けば、どこでも行きたいところに行けるような気がしました。トムのように元気いっぱい丘から丘へひょいひょいと霧ふり山脈まで飛び石を伝うように跳んで行ければと思うと、これから丘陵の麓《ふもと》の山ひだを縫い街道目指してとぼとぼと進むことは心もなえることのように思われました。

その時かれらに話しかけたゴールドベリの言葉がかれらの目と心を呼びさましました。「さあ、お急ぎなさい、りっぱなお客さんたち！」と、かの女はいいました。「最後まで目的を離れないでおいでなさい！　左の目に風を受け北に進まれるのです。そうすれば、あなた方の足の行くところ、加護があるでしょう！　日の照るうちにお急ぎなさい！」それからかの女はフロドに向かっていいました。「ご機嫌よう、エルフの友よ、喜ばしい出会いでした！」

しかしフロドには答える言葉が見つかりませんでした。かれは低く頭を下げ、それから小馬にまたがり、友人たちを後ろに従えて、丘の裏側の緩やかなスロープをゆっくり下って行きました。トム・ボンバディルの家も谷間も、そして古森ももう見えなくなりました。緑の壁のように立ちはだかる丘と丘の間に入ると空気はだんだん暖かくなり、息するたびに、芝草の匂いが強く甘く鼻をさしました。緑の谷間の底に辿《たど》り着いて後をふり向いた四人はゴールドベリの姿を認めました。空を背に、まるで陽の光を受けた花のようにほっそりと小さく見えました。かの女はかれらを見送ってまだじっと立ちつくし、両手はかれらの方に差し延ばされていました。みなが見返ると、かの女は澄んだ声で答え、片手を上げて背を向け、丘の後ろに姿を消しました。

かれらの道は、谷間の一番低い所をめぐり、けわしい丘の緑の麓をまわって、さらに深いさらに広い谷間に出、その向こうの丘陵の肩を越えてから、長く延びた山裾《すそ》を下り、それからふたたびなだらかな山腹を登り、新たな丘の頂に達し、また新たな谷間に降りて行くのでした。木は一本もなく、流れも目につきません。草と短くて弾力のある芝のほかには何もない土地でした。山腹を吹く風のささやきと、見慣れぬ鳥たちの淋しい高い叫びのほかは静まり返って何の物音も聞こえません。進むにつれて太陽はだんだん高くなり、暑くなってきました。一つの尾根に登り着くごとに、微風もだんだん止んでいくように思えました。西に広がる景色が目にはいるたびに、遠くの古森《ふるもり》は、ぼうと煙って見え、降った雨がふたたび葉や根や土壌から蒸発しているかのようでした。視野の果ては影で彩られていました。それは黒っぽくかすんだ靄《もや》で、その上には空が青い帽子のように厚く重苦しくかぶさっていました。

正午頃かれらが辿り着いた丘の頂は広くて平たく、緑の土手で縁取りをした浅皿のようでした。その中は空気が少しも動かず、空が頭上に近く感じられました。かれらはその中を馬で横切り、北の方を眺めました。すると急に元気が出てきました。思っていたよりずっと遠くまで来たことはまちがいないように思えたからです。確かに遠くの方はもうすっかり霧でかすんでいるので、はっきりそうとはいいきれませんでしたが、塚山丘陵がそろそろ終わりに近づいたことは疑いようがありません。目の下には長い谷間が北に向かってくねくねと続き、二つの丘のけわしい肩の間にその出口がありました。その先にはもう丘は一つもないようでした。東北の方角に長い黒い線がかすかに見てとれました。「あれは並木だ。」と、メリーがいいました。「あそこに街道があるに違いないよ。ブランディワイン橋から東に何リーグにもわたって街道沿いに木が植わってるんだ。ずいぶん昔に植えられたものだっていうけど。」

「すばらしい！」と、フロドがいいました。「午後も今までの調子でいけば、日の没《い》りまでには塚山丘陵をあとにして、どこか野宿できそうな場所を探して先に進むことができるだろうよ。」しかしこう話しながらも、かれは東の方にちらと目を向けました。そちら側は、もっと高い丘が連なり、かれらを見下ろす恰好になっていました。それらの丘の頂はすべて緑の塚となっていて、その中には、まるで緑の歯ぐきからぎざぎざの歯が突っ立っているように、天を指して林立する石の見えるところもありました。

何となくこれは不安な光景でした。ホビットたちはそこから目をそらし、円形の窪地の中へ降りて行きました。窪地の真ん真ん中に石が一本立っていました。真上にある太陽の下に高く突っ立っていましたが、この時間ですから、影は見られません。別に形らしい形もないただの石でしたが、いかにも意味ありげでした。境界の目印のようでもあり、守護する指のようでもあり、あるいはむしろ警告のしるしのようでもありました。しかしホビットたちは今やお腹がすき、太陽の位置もまだ恐れるもののない真昼時でした。そこでかれらは石の東側に背中をもたれさせてすわりました。石はまるで日の光もそれをあたためる力がないかのようにひいやりしていました。しかしこの時間には、その冷たさもまた快く思われました。そこでかれらは食べものを食べ、飲みものを飲みました。青空の下、これ以上望みようもない位のけっこうな昼食でした。というのも、食べものは「丘の下」から持ってきたものだったからです。一行のその日の旅を慰めるために、トムがたっぷり用意してくれたのでした。背中の軽くなった小馬たちは草地のあちこちにさ迷い出て行きました。

馬の背に揺られていくつもいくつも丘を越えたあと、たらふく食べ、暖かい陽の光を浴び、芝草の匂いに包まれ、少しゆっくりと横になり、足を長々と伸ばして、仰向けになって空を眺めていたら、どういうことになるか、これだけいえば一々説明することもないかもしれません。しかし、それはそれとして、かれらは、全然眠るつもりでもなかった眠りから不意に、しかも覚めぎわの悪い気持ちで、目を覚ましました。立っている石は冷たく、うすうすと長い影を落として、影は、ホビットたちの体を横ぎり東に伸びていました。光の薄れた、かすんだような黄色の太陽の光が、四人が寝ている窪地の西側の土手のちょうど上あたりから靄《もや》を通して射していました。北も南も東も、窪地の土手の外には、冷たく白々と濃い霧が立ちこめ、空気は静まり返って重苦しく冷えびえとしていました。小馬たちは頭を垂れ、互いに身を寄せ合って立っていました。

ホビットたちはあわてて跳び起き、窪地の西のふちまで走って行きました。そして自分たちが霧の海の中の小島にいることを知りました。かれらが驚きあわてて沈んで行く夕日を眺めている間にも、太陽はそのかれらの目の前で白い海の中に沈んで行き、同時にかれらの背後の東には、冷たい灰色の影が躍り出してきました。霧は周囲の土手を巻いて土手よりも高く上ると、ホビットたちの頭上にかぶさってきて、屋根のようにすっぽりとおおってしまいました。かれらは中央にあの石の柱を立てた、霧の広間に閉じ込められた形になりました。

かれらはまるで落ちこんだ罠《わな》が次第に締めつけてくるような気がしました。しかしまったく勇気を失ってしまったわけではありません。さっきたのもしげに眺めた一条の街道のことをまだ憶えていました。そしてそれがどっちの方向にあるかもまだ知っていました。いずれにしろ、かれらは石の周りのこの窪地がいやでいやでたまらなくなりましたので、ここにとどまる気持ちはだれの心にもありませんでした。かれらはかじかんだ指の許す限りの速さで荷物をまとめあげました。

間もなく四人はめいめいの小馬を引っ張り、一列になって尾根を越え、丘の北側の長いスロープを下って、霧の海の中に降りて行きました。降りて行くにつれ、霧はだんだん冷たくしめってきました。髪の毛はぺったりと垂れ、額にポトポトと雫《しずく》が滴《したた》り落ちました。やっと低い所まで来ると、かれらはあまりの寒さに立ち止まって、マントや頭巾を取り出しましたが、それにもたちまち灰色の水滴が露のように宿りました。それからかれらは小馬にまたがり、地面の起伏だけを道しるべに、ふたたびのろのろと進んで行きました。この長い谷間のずっと向こうの北のはずれに門のような出口があるのを昼前に見ていましたので、大体そちらの方向と覚しき方に向かって馬を進めていたのでした。一度その谷間の出口から出てしまえば、あとはただまっすぐの線を辿《たど》るように進むだけで、おしまいには必ず街道にぶつかるはずでした。かれらはそれより外《ほか》のことを何も考えませんでした。ただ、丘陵を離れれば霧もなくなるのではないかという漠然とした望みをもっているにすぎませんでした。

道はなかなかはかどりませんでした。互いにはぐれないように、別々の方角にさ迷い出ないように、四人はフロドを先頭に一列になって進みました。フロドのあとにはサムが続き、サムのあとにピピン、それからメリーの順でした。谷間は果てもなく続いているように思われました。不意にフロドは期待の持てそうなしるしを見ました。前方の両側に黒っぽいものがぼうっと姿を現わしたのが霧を通して見えたのです。かれは、とうとう丘と丘の切れめ、塚山丘陵の北の出口にやって来たのだと思いました。あそこを通り抜けさえすれば、もう安全なのです。

「さあ行こう！　続いて来るんだよ！」かれは肩越しに声をかけると、どんどん先を急ぎました。しかしかれの望みもすぐに当惑と驚きに変わりました。両側の暗い部分はますますその暗さを増してきましたが、どんどん縮まっていき、突然かれが目の前に見たのは直立する二本の巨大な石でした。それはかれの前に不気味にそそり立ち、頭部のない戸口の柱のように互いに心持ち相手の方に傾いていました。

かれが昼前、丘の上から眺めた時には、谷間にこういうものがあるのを見た覚えはありませんでした。かれは自分でもほとんど気がつかないうちにこの石の柱の間を通り過ぎてしまいました。そしてその間にも暗闇はかれをすっぽりとくるんでしまうように思われました。かれの小馬が後ろ足で立って嘶《いなな》きました。かれは馬の背からころがり落ちました。後ろをふり返ってみて、かれは自分が一人であるのを知りました。あとの三人はかれについて来なかったのです。

て来ないんだい！」

「サム！」と、かれは呼びました。「ピピン！　メリー！　さあ、早く来いよ！　どうしてつい

答はありません。恐怖がかれをとらえました。かれは走り戻って、石の柱を通り過ぎ、狂ったように叫びました。「サム！　サム！　メリー！　ピピン！」かれの小馬は急に霧の中に走り出て、そのまま姿を消してしまいました。かなり離れた所から、あるいはそう思えただけかもしれませんが、かれは呼び声を聞いたように思いました。「おーい！　フロド！　おーい！」それはずっと東の方でした。一心に目をこらし耳を澄まして薄暗がりをうかがいながら大きな石の柱の下に立っているかれの、ちょうど左手の方から聞こえてくるのでした。かれは声のする方に飛び出して行きました。そして気がついてみると急な山腹をよじ登っていました。

かれは躍起となって登りながら、もう一度呼びました。そしてますます狂おしく呼び続けました。しかししばらくはなんの応答も聞かれませんでした。そのうちに前方のもっと高い所からかすかに遠く聞こえてくるように思われました。「フロド！　おーい！」霧の中から細い声が聞こえてきました。それから「助けて！　助けて！」と、叫んでいるような呼び声がしました。その叫び声は何度も何度も繰り返され、とうとう最後の「助けて！」の一声で終わってしまいましたが、声は長く尾を引く悲鳴となり、それもぷつりと断ち切られました。かれはよろめく足取りで、声のしてきた方に向かってできる限り急いで進みました。しかし陽の光はもうすっかり消え失せ、かれの周りにはまといつくような夜が迫ってきていました。ですから、方角の見当をつけるのは

ほとんど不可能でした。ただ上へ上へと登り続けているような気がするばかりでした。

足許の地面が平らになったので、はじめてかれはやっと尾根か丘の頂に達したことを知りました。かれはへとへとに疲れ、汗だらけになり、しかもぞくぞくと寒気がしました。ここは文目《あやめ》もわかぬ暗闇でした。

「どこにいるんだあ？」かれは惨めな気持ちで叫びました。


返事はありませんでした。かれは耳を澄まして立っていました。その時とても寒くなってきたのに突然気づきました。それにこの山の上には風が吹き始めていました。氷のように冷たい風でした。天気が変わってきたのでした。霧がちぎれちぎれになって横を流れていきます。吐く息は白く凍っていました。暗闇はずっと遠のき、ずっと薄らぎました。上を見上げたかれは、きれぎれに流れ去っていく雲と霧の間に、星々がかすかに現われてきたのを見て驚きました。草の上を風がヒュウーヒュウーと吹き始めました。

突然かれはこもったような叫び声を耳にしたように思ってそちらの方に進みました。歩き出すあいだに、霧の帳《とばり》が巻き上げられ、脇に押し分けられ、星空が現われました。一目見渡しただけで、かれは今自分が南を向いて、丸い丘の頂に立っているのを知りました。北側からここに登って来たに違いありません。東の方から肌を刺すような風が吹いていました。右手には、西の星空を背景に真っ黒なものがぼうっと浮かんでいました。大きな古墳がそこにありました。

「どこにいるんだあ?」かれは腹を立てそして心配しながらもう一度叫びました。

「ここだ!」と、声がしました。低い冷たい声でした。土の下から聞こえてきたようでした。

「わたしはお前を待っているのだ!」

「違う!」フロドはそういったものの、逃げ去りませんでした。膝《ひざ》が立たなくなったのです。そしてばったり地面に倒れました。何も起こりませんでした。音も聞こえません。ふるえながらかれは上を見ました。すると背の高い黒っぽい姿が星空に浮かぶ影のように立っているのがちょうど目にはいりました。それはかれの上に体を屈《かが》めました。かれは二つの目を見たように思いました。それはずっと遠くの方から射してくる青白い光を受けて光っている、とても冷たい目でした。それからフロドは鉄よりもさらに強く、さらに冷たい手でむんずと摑まれました。その氷のような感触には骨まで凍る思いでした。それ以上もう何も憶《おぼ》えていませんでした。

ふたたび正気づいた時、とっさには恐怖感のほかは何一つ思い出せませんでした。それから突然自分が囚われの身となり、絶望的な状態に陥ったことを知りました。フロドは古墳の中にいました。塚人《つかびと》がかれを捕えたのです。そしておそらくすでに、噂話《うわさばなし》に語られたかの塚人たちの身の毛のよだつような呪文をかけられてしまったのでしょう。かれは身動きする勇気もなく、気がついたときのままの姿勢で、冷たい石に背中をあて、胸に両手を置いてじっと横になっていました。

しかし、恐怖があまり大きいので、恐怖心が取り囲む暗闇をいやましているような気がしたくらいでしたが、それにもかかわらず、かれは自分が横たわったまま、ビルボ・バギンズとかれから聞いた話のことを、そしてビルボと一緒にホビット庄の小道をゆっくりゆっくり歩きながら方々の道や冒険について語り合ったことを思い出しているのに気がつきました。一粒の勇気の種子は、たとえ一番でぶの一番臆病なホビットの心の中にさえ隠されていて（たしかに深く埋もれていることが多いのですが）、もうどうにもならない絶体絶命の危険が迫ってくるのを待っているあいだに、その種子が育っていくものです。フロドはたいしてでぶでもなく、また、たいして臆病でもありません。かれ自身こそ知りませんでしたが、事実ビルボも（そしてガンダルフも）、かれのことをホビット庄でも一番優秀なホビットだと考えていたのです。かれはいよいよこれで自分の冒険も終わった、それにしてもなんというひどい終わり方なんだろうと、考えましたが、そう考えると何くそという気になりました。かれは、まるで最後の跳躍に備えるかのように、自分が体を固くしているのに気づきました。かれはもはや無力な餌食になったような虚脱感を感じませんでした。

そうやって横になったまま、考えたり自分の力を取り戻している時、突然、暗闇が少しずつ退いていっているのに気づきました。薄い緑がかった光が身の周りをつつみはじめていました。最初のうちはその明かりは、自分の居場所がどんな所であるかを示すにも足りないくらいでした。というのは、その光はかれ自身の体から、そしてかれの横の床から射してくるのであって、屋根や壁まではまだ届いていないように思われたからです。かれは寝返りをうちました。するとこの冷たい明かりの中で、サムとピピンとメリーが自分のそばに横たわっているのを見たのでした。かれらは仰むきになり、その顔は死人のようにあおざめていました。そして、白装束をまとっていました。かれらの周りにはたくさんの宝物がありました。おそらく金でできたものでしょう。しかしこの光の中では、金の宝物もただ冷たくおぞましく見えるだけでした。かれらの頭には飾り環《わ》がはめられ、腰には金の鎖が巻かれ、指にはたくさんの指輪がはめられていました。横には剣が置かれ、足許には盾がありました。しかしかれら三人の首にわたして置かれていたのは、一《ひと》振《ふり》の長い抜身の剣でした。

突然歌声がおこりました。呟《つぶや》くようなひややかな声で、高まり低まりしてつづきました。限りなくものさびしく、はるかかなたから聞こえてくるようで、空の高みからか細くひびくかと思えば、地の底から低いうめき声のように聞こえました。形をなさぬ悲しげな恐ろしい音の流れの中から、時々、いくつかの言葉のつらなりがおのずと形をなしてきました。不気味でむごい、冷たい言葉でした。悲惨で、無情でした。夜が、奪われた朝をののしり、冷たさが、渇望してやまぬぬくみをのろっているのでした。フロドは骨の髄まで凍る思いでした。しばらくすると歌はいっそうはっきり聞こえてきました。かれはぞっとするような思いで、その歌の言葉がまじないに変わったのを知りました。

冷えよ、手と胸と骨、
冷えよ、石の下の眠り。
石のふしどに、もはや覚めるな、
日が絶え、月が死ぬ時まで。
黒い風に、星々も死ぬだろう。
その時もなおここの黄金の上に、
横たわっておれ。
死んだ海と枯れた陸を、
冥王がしろしめす時まで。

かれは頭の後ろの方で何かがきしみこすれる音を聞きました。片腕をついて体を起こし、薄い光の中にかれが見たのは、自分たちが今いるのは通路のようなところで、それはちょうどかれらの頭の後ろで曲がっていることでした。その曲がり角のところから長い腕が手探りしながら伸びて来て、指で床をまさぐりながら一番近くに横たわっているサムの方に、そしてかれの上に置かれた剣の柄《つか》の方に少しずつ近づいて来ました。
はじめのうちフロドはあのまじないの歌によって自分が本当に石になってしまったような気が

しました。ついでしゃにむに逃げたいという思いにとらわれました。かれは、もし指輪をはめれば塚人《つかびと》の目を逃れて、脱け出すこともできるのではないかと考えました。かれは、自分がメリーとサムとピピンの身の上を嘆きながら、しかし自分は生きて自由の身となって、草の上をどんどん逃げて行くところを想像しました。ガンダルフだって、この場合ほかにどうしようもなかったことを認めてくれるでしょう。

しかしかれの中に目覚めた勇気は、今ははるかに強いものになっていました。かれは友人たちをそうやすやすと見捨てることはできませんでした。かれはためらいました。ポケットをまさぐり、そして次の瞬間にはふたたびそういう自分と闘いました。そうしているうちにも腕はだんだん忍び寄って来ました。突然かれの心の中で覚悟が固まりました。かれは横に置かれてあった剣をひっつかみ、膝《ひざ》をついて、仲間たちの体の上に低く身を屈《かが》めました。もてる限りの力をふりしぼって、かれは忍び寄る腕の手首近くに切りつけました。手がぷつりと切断されました。しかし同時に剣も柄《つか》のところまでまっすぐに割れてしまいました。悲鳴があがり、光が消えました。暗闇の中でうなる声がしました。

フロドはメリーの体の上にうつ伏せになりました。メリーの顔は冷たくなっていました。突然かれの心に、山の上で最初に霧に出会って以来ずっと消え去っていた、丘の麓《ふもと》の家とトムの歌の記憶が戻ってきました。かれはトムが教えてくれた歌詞を覚えていました。必死にかぼそい声をふりしぼってかれは歌い始めました。「ほーい！　トム・ボンバディル！」その名前を口に出すとともに、かれの声は強くなったように思えました。ゆたかな元気な歌声となり、この暗い部屋に、まるでドラムを打ち鳴らし、トランペットを吹き鳴らしたように響き渡りました。

ほーい、トム・ボンバディル、トムよ！
川と森と山にかけて、芦と柳にかけて、
火と日月《にちげつ》にかけて、ぜひ聞いておくれ。
来てよ、トム・ボンバディルよ、
われらに危険が、迫っている！

急に深い静けさが訪れました。フロドは自分の心臓の鼓動を聞くことができました。長い待ち遠しい一刻の後、かれはちょうど地の中からそれとも厚い壁を通して伝わってくるかのように、はっきりと、しかしはるか遠くで、答えて歌う声を聞きました。

トム・ボンバディルは、陽気なじいさん。
上着は派手な青、長靴は黄よ。
これまでだれにも、つかまったことなし。
そうとも、トムは、主人なのさ。

Zeras.

トムの歌は、何よりも強く、
トムの足は、だれより速い。

石が転がり落ちるようなゴロゴロいう大きな音がしたと思うと、突然光が流れ込みました。うつつの光、正真正銘の昼の光でした。フロドの足許の向こう、部屋の端に、低いドアのような口が開きました。そこにはトムの頭が（帽子も羽根もその他すべてをひっくるめて）まるで額縁に入れられたように、その背後に赤々と昇る朝日の光の中にくっきりと浮き上がっていました。明るい光は床に落ち、フロドの横に臥している三人のホビットたちの顔に落ちました。三人とも身動き一つしませんでしたが、その土気色はもうとれていました。今は三人ともただぐっすり眠りこんでいるように見えました。

トムは腰を屈《かが》め、帽子を脱ぎ、歌を歌いながら暗い部屋の中にはいって来ました。

出ていけ、この塚人《つかびと》め！
日の光に、消え失せろ！
冷たい霧のようにしなびろ、
風のようにわめいて去れ、
山々のずっと向こうの

不毛の土地へ、いっちまえ、
二度とふたたびここへ来るな！
お前の塚を空《から》にしていけ！
闇よりも暗く埋もれて、忘れられろ。
門も、永遠にとじてあかないぞ、
この世がたちなおる時まで。

この歌がひびいたとたんに叫び声があがり、部屋の奥の一隅が、すさまじい音とともに崩れ落ちました。ついで悲鳴が一声、長々と尾を引いて、いずことも知れぬ遠くへ消え去って行くと、そのあとはしんと静かになりました。

「さあ、わが友フロドよ！」と、トムはいいました。「汚れのない草の上に出て行こうではないか！　この三人を運ぶのを手伝っておくれ。」

二人は一緒に、メリーとピピンとサムを運び出しました。最後に古墳の穴を出た時、フロドは、切断された手がまるで傷を負った蜘蛛《くも》のように、落ちた土の山の中でまだうごめいているのを見たように思いました。トムはもう一度中に戻って行きました。ドシンドシンと床を踏む音がしきりに聞こえて、出て来た時は、腕にいっぱいの宝物をかかえていました。金、銀、銅《あかがね》、青銅製で、たくさんの玉に鎖、そして宝石のついた飾りがありました。かれは緑の塚の上に登り、日のあたるそのてっぺんにそれらの品物をすっかり並べました。
片手に帽子を持ち、風に髪をなびかせて、かれはそこに立ったまま、三人のホビットたちを見下ろしました。三人は塚の西側の草の上に仰むけに寝かされていたのです。かれは右手を上げて、はっきりした命令するような声でいいました。

目を覚ませ、陽気な若い友たちよ！
目をさまして、わたしの呼び声を聞け！
さあ暖まれ、胸と手足！
冷たい石は、崩れ落ちた。
暗い戸口は、広くあいた。
死者の手は、切りとられた。
夜の下の夜は逃げ、門は明いた！

ホビットたちはもぞもぞと体を動かし、両腕を伸ばし、目をこすり、それから急に跳び起きて、フロドを狂喜させました。かれらは驚いてきょろきょろあたりを眺め回しました。まずフロドをみつめ、それからかれらの頭上の塚のてっぺんに突っ立っているトムその人の姿をみつめ、それから、ぼろぼろの白装束姿に薄い光を放つ金の宝冠とベルトをつけ、じゃらじゃら、飾りをぶらさげた自分たちを眺めました。

「いったい全体これはどういうことなんだ？」メリーがまず口を切って、目の上にずり落ちてきた金の冠を手でさわりました。それからかれは口をつぐみました。その顔に影がさし、かれは目を閉じました。「むろん憶《おぼ》えておる！」と、かれはいいました。「カルン・ドゥームのやつらが昨夜われらを襲ったのだ。そしてわが陣営は敗れた、ああ！　予の心臓に突き刺さった槍《やり》の穂先！」かれは胸をかきむしりました。「違う！　違う！」かれはそういうと目を開きました。「ぼくは何をいってるんだろう？　夢を見てたんだ。あなたはどこへ行ってたんです、フロド？」

「わたしは道に迷ったと思ったのだ。」と、フロドはいいました。「だけど、そのことは話したくないな。これからどうするかを考えよう。さあ、行こうじゃないか？」

「こんな恰好をしてですか、旦那？」と、サムがいいました。「おらの服はどこいっただろう？」かれは頭の冠もベルトも指輪もみんな草の上に投げ捨て、どうしていいかわからない様子できょろきょろあたりを見回しました。まるで自分のマントや上着やズボンやその他ホビットの衣類一式がどこか手近なところに転がってるとでも思っているようでした。

「お前さんたちの服はもう二度と見つからないよ。」トムはそういって、塚の上から飛び降り、笑いながら、陽の光の中でかれらの周りをぐるぐる踊りまわりました。これを見ては、だれだって危険な恐ろしいことが現に起こったとはとても思わないでしょう。事実トムに目を向け、トムの目にきらめく陽気な光を見ているうちに、かれらの心から恐怖の影も消え失せてしまったのでした。

「どういうことなんでしょう？」トムに目を向けて、ピピンがたずねました。その顔は半分狐につままれたようでもあり、半分おもしろがってるようでもありました。「どうして見つからないんです？」

しかしトムは頭をふっていいました。「お前さんたちはふたたび生きて帰れたのだ、深い水の中からね。溺れ死なずにすんだんだから、服をなくしたことぐらいなんでもない。喜べ喜べ、わたしの陽気な友達よ、さあこの暖かい陽の光で、心も手足もあっためろ！　冷たいぼろは脱ぎ捨てろ！　裸で走れ草の上。その間にトムは一走《ひとつぱし》り、探しもの！」

かれは口笛を吹いたり叫んだりしながら、跳ぶように丘を駆け降りて行きました。そのあとをフロドが見送っていると、トムはあいかわらず口笛を吹き叫び声をあげて、今かれらが立っている丘とその隣りの丘の間の緑の谷間を南の方に走り去って行きました。

おーい、おい！　さあ、おいで！　どこに行った？
上か下か、近くか遠くか、ここかあそこか、
それとも向こうまで、さ迷い出たか？
早耳、鼻利《き》き、尻尾ふり、
田吾作、ちびの白靴下、

でぶのとしより、ずんぐりや！

かれはそう歌いながら、どんどん走って行きました。走りながら帽子をほうり上げたり、落ちてくるところをつかまえたりしながら、とうとう山ひだの陰にかくれてしまいました。しかしその「おーい、おい！　おーい、おい！」という声は風に乗ってしばらくの間聞こえてきました。風は南向きに変わってきていました。

空気はまただんだん暖まってきました。ホビットたちはトムにいわれた通りに、草の上をしばらく走り回りました。それから日なたぼっこをしながら横になりました。きびしい冬のさなかに突然温暖な土地にふわっと運ばれて来たような、あるいは、長い病臥の後《あと》、ある朝目覚めてみたら思いもかけず自分が全快していて、ふたたび前途に望みが抱けることを見いだした人のような喜びの気持ちでいっぱいでした。

トムが戻って来るまでに、かれらはもうすっかり元気になり（お腹も空《す》いてき）ました。かれはふたたび姿を見せました。まず帽子が、傾斜の急な山ぎわに現われ、かれのあとには六頭の小馬たちがおとなしく一列になってついて来ました。ホビットたちのが五頭に、あともう一頭です。それは一番最後のがでぶの年寄りずんぐりやに違いありません。それはホビットたちの小馬より体が大きく、力も強く、肥って（それに年も取って）いました。残る五頭の持ち主であるメリーは、実のところ小馬たちにこんな名前をつけてやったわけではありませんでした。しかし小馬たちはその後《のち》ずっとトムにつけてもらった新しい名前を呼ばれると答えるようになりました。トムは小馬たちの名前を順々に呼びました。かれらは急な山ぎわを乗り越えてくると一列に並びました。それからトムはホビットたちにお辞儀をしました。

「さあ、みな様方の小馬です！」と、かれはいいました。「こいつらは（ある意味じゃ）お前さん方迷えるホビットよりも分別があるようだね――鼻が、ずっと確かだよ。こいつらはお前さん方がまともにつっこんで行く危険を鼻で嗅《か》ぎ取っているし、逃げるにしても、方向を誤らずに逃げて行く。あんた方もこいつらを許してやらなくちゃ。こいつらにしても心は忠実なんだが、塚《つか》人《びと》の恐ろしさにまともに立ち向かう柄じゃないのさ。ほら、みんな戻って来ただろう、荷物をちゃんと背負って！」

メリーとサムとピピンは自分の荷物の中から着替えを出してすっかり身じまいをしましたが、そのうち三人ともとても暑くなりました。というのは、やむをえず、冬の訪れに備えて持って来た厚地の暖かい衣服を着なければならなかったからです。

「もう一頭いるあの年取った馬のでぶのずんぐりやはどこから来たんですか？」と、フロドはたずねました。

「あれはわたしのだ。」とトムはいいました。「わたしの四本足の友達さ。わたしはめったに乗らないがね。こいつはしょっちゅう丘のへんを好きなように遠くまでさ迷い歩いているのさ。あんた方の小馬がわたしのところにいる間、かれらはわたしのずんぐりやと知り合ったのだよ。かれらは昨夜、ずんぐりやの匂いを嗅ぎつけた。そして急いで走ってかれを出迎えた。こいつはあんた方の小馬を見つけ出し、その知恵ある言葉でかれらの恐怖を取り去ってやるだろうとわたしは思ったのだ。ところで、すてきなずんぐりやよ、今度はトムじいさんが乗っていくぞ。ほい。じいさんは一緒に行くぞ。あんた方を街道に出してやるためにね。だから小馬がいるのさ。ホビットたちは小馬に乗ってる、自分はその横を二本足で駆けてるんじゃ、話すのも楽じゃないからね。」

ホビットたちはこれを聞くと大喜びで、何度もトムにお礼をいいました。けれどかれは笑って、ホビットたちは道に迷うのがお得意なので、かれの土地の終わるところまでかれらを無事に送り届けなければとても安心できないからというのでした。「わたしにはすることがたくさんある。」と、かれはいいました。「作ることに歌うこと、しゃべることに歩くこと、それから国の番をすること。トムだっていつもそばにいて、塚の戸口や柳の割れ目を開いてやれるとは限らない。トムには心にかける家があり、それにゴールドベリが待っている。」

太陽の位置から見ると、まだかなり早いようでした。九時と十時の間ぐらいでしょう。ホビットたちの気持ちは食べものに向かいました。かれらは前の日直立した石のそばで昼食をとって以来何も食べていないのです。かれらは前の日トムの用意してくれた糧食のうち夕食用に残しておいた分をすっかり食べてしまい、おまけに、トムが持って来てくれた足し前を食べました。それはたっぷりというわけではありません（食べるのがホビットですし、一食抜きという事情を考えれば）。しかしホビットたちは食事のおかげでずっと気分がよくなりました。かれらが食べている間、トムは塚の上に登って宝物を調べました。かれはそれを山のように積み上げましたので、その宝物の山は芝草の上できらきらと光を放ちました。かれは宝の山に向かっていいました。「思いのままになれよかし、鳥に、けものに、エルフに人、これを見つけた心やさしいすべてのものの思いのままに。」それまでそこにあれと命じたのです。そうすれば塚の呪文も破られ、くだけ散って、塚人《つかびと》は二度とここに戻って来ないからでした。かれはその中から自分のために、まるで亜麻の花か蝶々の羽根のようにさまざまな陰影にとむ青い石のはまったブローチを選びました。かれは何か思い出を呼びさまされたかのように、しばらくじっとそれを見ていましたが、やがて首をふっていいました。

「トムと、トムの愛するひとのためのきれいなおもちゃだ！　ずっと昔、これを肩にとめていたあのひとは美しかった。今度はゴールドベリにこれをつけさせよう。わたしたちはあのひとのことを忘れやしないぞ！」

ホビットたちの一人一人にかれは短剣を一ふりずつ選んでくれました。長い木の葉型の、切れ味のよいすばらしいこしらえの業物《わざもの》で、赤と金の蛇の形の文様のある鋼《はがね》でできていました。トムが黒い鞘《さや》から抜き放つと刃はきらきらと輝きました。その鞘は何か変わった金属でできていて、軽くて丈夫で、燃えるように光るたくさんの宝石で飾られていました。これらの鞘に秘められた何かの力によるのか、それともこの塚にかけられた呪文によるのか、短剣の刃《やいば》は少しも時の影響を受けていないようでした。錆《さび》一つなくとぎすまされ、きらきらと日にきらめいていました。

「昔の短剣は、ホビットの衆にちょうどいい刀になる。」と、かれはいいました。「東に南に、あるいはさらに遠く暗闇と危険の中に旅して行くのなら、ホビット庄の衆にも鋭い業物は役に立つだろう。」さらにかれは、これらの業物はずっと昔、西方国の人間たちの手で鍛えられたものであることを話しました。かれらは冥王に敵対したのですが、アングマールの国でカルン・ドゥームの魔王との戦いに敗れたのです。

「かれらのことを憶《おぼ》えている者は今ではほとんどいない。」と、トムは呟《つぶや》きました。「しかし今でもまだ、忘れられた王たちの子孫が放浪して歩いている。備えのない者たちを悪しき者たちから守るために孤独な旅を続けているのだ。」

　ホビットたちにはかれのこの言葉がわかりませんでした。しかしかれの話を聞いているうちに、あたかも広漠とした暗い平原のように自分たちの後に果てしなく続く歳月とでもいったものの幻を見ました。その平原を人の姿が一人また一人と大股で通り過ぎて行きました。その人間たちは背が高くきびしい顔で、輝く剣を身に帯びていました。一番最後に来た者は額に星を一つつけていました。やがて幻は消え、かれらはふたたび日の射す世界に戻りました。ふたたび旅を続ける時がきました。荷物を袋につめ、小馬の背にのせると、もう出かける用意ができました。新しい武器は上着の下の皮のベルトに吊しましたが、なんだかとてもそぐわない感じで、こんなものが役に立つことがあろうかと思われました。かれらの逃走の旅がこれからいろいろの冒険にかれらを立ち向かわせるうちに、戦闘がおころうとは、だれひとり今まで念頭に思い浮かべたことがありませんでした。

やっと一同は出発しました。かれらは小馬を連れて丘を降り、それからその背に乗って、谷間をどんどん駆けて行きました。後ろをふり向いて、丘の上の古墳の頂を見ると、黄金に反射する陽の光が黄色い焔《ほのお》のように立ち昇っていました。それからかれらは丘陵の山裾《すそ》の一つを曲がりましたので、それも視界から隠されてしまいました。

フロドは前後左右をきょろきょろ見回しましたが、どこにも大きな石が門のように突っ立っているところは見あたりませんでした。そして間もなく一同は北の出口に達し、たちまちそこを通り過ぎました。かれらの目の前にはだらだらと低くなった土地が続いていました。今度は、でぶのずんぐりやにまたがり、ホビットたちのあとになったり先になったりしながら陽気に馬を駆けさせるトム・ボンバディルと一緒の愉快な旅でした。でぶのずんぐりやはその腹周りから察せられるよりはずっと速く動けるようでした。トムはほとんど歌ばかり歌っていました。とりとめのない意味のない言葉が多いようでしたが、もしかしたらそれはホビットたちの知らないふしぎな言葉であったのかもしれません。驚きと喜びの言葉がその大部分を占めていた古代の言語であったのかもしれません。

かれらはなおもたゆみなく進みました。しかしやがてかれらは街道が想像していたよりずっと遠いことを知りました。昨日は、たとえ霧がなくても、昼間あんなに眠り込んでしまった以上、日没過ぎまでに街道にでることはとてもできなかったでしょう。かれらが見た黒っぽい線は木の列ではなく、向こう側がけわしい堤になっている深い堀のふちに生えている灌木の列でした。トムの言葉によると、これはずっと昔のある王国の境界線であったようでした。かれはこれを見て何か悲しいことを思い出したとみえ、多くを語ろうとしませんでした。

かれらは堀の中に降りまたそこから出て、堤にあいている割れ目を通り抜けました。それからトムは進路を真北に向けました。少し西に寄りすぎていたからです。土地はもうほとんど水平となり開けていました。一同は馬の足を速めました。しかしかれらがやっと前方に高い木々の列を認めて、思いがけない数々の冒険の後ようやく街道に戻って来たことを知った時には、太陽はもうすでに低く傾きかけていました。かれらは最後の何町かを馬を走らせ、長く伸びた並木の影の下に立ち止まりました。一同は傾斜した土手のてっぺんにいました。足許には、夕暮れの迫るとともにもう薄暗くなった街道がくねくねと伸びていました。それはこの地点ではおおよそのところ南西から北東にかけて走っていました。そして一同の立っている右手のあたりで急に下りとなり広い窪地にはいっていきました。道には轍《わだち》のあとがいくつも刻まれ、また先夜の大雨のあとが方々に見られました。そこかしこに水たまりがあり、水のたまった深い穴がありました。

かれらは馬に乗ったまま土手を下り、あちこち眺め回しました。目につくものは何もありません。「さあ、やっと来たぞ！」と、フロドがいいました。「森を通る近道でおそくなったといってもせいぜい二日だよ！　でもおそくなってかえってよかったかもしれない――やつらをまくことができたかもしれないからね。」

みんなはかれを見ました。黒の乗手たちへの恐怖が不意にかれらの顔をかげらせました。古森《ふるもり》に足を踏み入れて以来、かれらはもう一度街道に戻るということだけを考え続けてきました。その街道にこうやって立ってみて初めてかれらは、自分たちを追っている危険を思い出したのです。その危険は他ならぬこの街道でかれらを待ち伏せしている見こみが大きいのでした。かれらは沈んでいく太陽の方を心配そうにふり向きました。しかし街道はただ茶一色で、人っ子一人見あたりません。

「あのー、」ピピンがためらいがちにたずねました。「あのー、ぼくたち、追跡されるかしら、今夜は？」

「いや、今夜は大丈夫じゃないかな。」と、トム・ボンバディルが答えました。「明日も大丈夫かもしれない。しかしわたしのいうことをあてにしないでくれ。確実なことはいえないんだから。東の方に来ると、わたしも知らないことが多くなる。トムも自分の国からはるか遠い黒い国から来た乗手たちまでは、とりしきれない。」

それでもホビットたちにしてみれば、トムに一緒に来てほしいと思いました。黒の乗手たちをあしらう術を知っている者があるとすれば、トムこそそれとみんなは感じていたのです。かれらは間もなく自分たちにとってはまったく馴染みのない土地へ向かおうとしていました。ホビット庄の言い伝えるこのうえなく漠然とした遠い遠い国々のそのまた先へ行こうとしているのです。忍び寄る夕間暮《ゆうまぐ》れにつつまれて、かれらは故郷《ふるさと》をしのびました。深い孤独感と喪失感がきざしました。かれらはトムといよいよ別れるのがいやで、黙ったまま立っていました。そしてトムがさようならをいい、元気を出して暗くなるまで立ち止まらないで乗り続けるようにかれらに話している言葉もすぐには耳にはいらないくらいでした。

「今日という日が終わるまでのことなら、トムがいいことを教えてあげよう（そのあとのことはあんた方自身の運まかせだ）。この街道を四マイル行くと村がある。ブリー山の麓《ふもと》のブリー村だ。入口がみんな西を向いている。その村に躍る小馬亭という宿屋があるよ。バーリマン・バタバーというのがそこの実直な亭主だ。お前さん方は今夜はそこで泊まるといい。そしてあしたの朝早く出かければ旅の道もはかどるだろう。こわがらないで行きなさい。だけど油断するんじゃない！　陽気な心を失わず、幸運に出くわすように旅を続けなさい！」

ホビットたちはかれにせめてその宿屋まで同道して、もう一度一緒に飲んでほしいと頼みましたが、かれは笑ってそれを断り、こういいました。

トムの国は、ここでおしまい。

トムは、国境《くにざかい》をこえていかない。
トムには、守る家がある。
ゴールドベリが、待っている。

それからトムはみんなに背を向け、帽子をぽんと放り上げて、ずんぐりやの背に跳び乗ると、馬を進めて土手を上り、歌いながら夕闇の中に去って行きました。

ホビットたちは土手の上によじ登り、かれの姿がすっかり見えなくなるまで見送っていました。「ボンバディルの旦那に別れるのは残念なことですだ。」と、サムがいいました。「あの人はまちがいなくただ者ではないですだ。これから先ずいぶん旅を続けたとしても、あの人よりえらくて変わった人にはお目にかかれないだろうと思いますだ。だけど、おらだってあの方から聞いた躍る小馬亭とやらに行き着けたらさぞうれしく思うこってしょう。うれしくないとはいいませんだ。どうかそこがおらたちの故郷《くに》の緑竜館みたいなところでありますように！　ブリー村という村に住んでるのはどんなやつらですかね？」

「ブリー村には大きい人たちもいるが、ホビットもいるよ。」と、メリーがいいました。「故郷《くに》に帰ったような気がするんじゃないだろうか。小馬亭もきっといい宿屋だろうよ。ぼくの家の者たちも、時々あそこまで出かけて行くからね。」

「これ以上は望みようもないような話だけど、」と、フロドがいいました。「そこだってやっぱりホビット庄の外は外なんだよ。あんまりくつろぎすぎないようにしてくれよ！　それから、きみたちみんな、どうか忘れないでくれ。バギンズの名前をけっして口にしないこと。名前をいわなきゃならないことがあれば、わたしの名は山の下なんだからね。」

かれらはふたたび小馬に乗り、黙々と夕闇のなかに馬を乗り進めて行きました。坂を下り、ふたたび坂を上り、馬の歩みものろのろと進むうちに、あたりはたちまち暗くなり、そのうちやっと少し向こうにまたたく明かりが見えてきました。

かれらの目の前には、行く手をふさぐようにブリー山が星空に黒々とそそり立っていました。その西側の山腹に抱かれるようにして大きな村がありました。ホビットたちはそこを目指して馬を急がせました。ただただ、炉端の火と、夜を閉め出すドアとがほしかったのです。

九　躍る小馬亭で

　ブリー村は、ブリー郷《ごう》で一番大きな村ですが、ブリー郷は、まるで小島のように無人の土地に囲まれて、そこだけ人の住みついた、小さな地域でした。ブリー村のほかには、ブリー山の反対側に元村、少し東の深い谷間に小谷村、そしてチェトの森のはずれにアーチェト村がありました。ブリー山とこれらの村々の周りは、その幅わずか数マイルほどの田野と人手のはいった森林地帯が取り巻いていました。

　ブリー村の人間たちは髪の毛が茶色で、どちらかといえば背が低く、体つきががっしりしていました。性質は快活で独立の精神をもっていました。かれらは自分たち以外の何者にも依存しないで暮らしていました。そして、大きい人たち一般の場合にくらべると、ホビットとか、ドワーフとか、エルフとか、その他、自分たちを取り囲む世界のほかの住人たちとずっと親しくまじわっていました。かれら自身に伝わる話によると、かれらはこの土地に元から住みついており、昔、中《なか》つ国《くに》のこの西の地に流れて来た最初の人間たちの子孫だということでした。上古の頃の度重なる騒乱をくぐり抜けて生き残れた者は非常に少なかったのですが、王たちが大海を渡ってふたたび戻って来た時、かれらは、ブリー山の人たちが今なお同じ場所にいるのを見いだしたのでした。そして、古き王たちの記憶が草むす墓の中に薄れ去った今もなお、かれらは同じ場所に住みついているのです。

その当時、ホビット庄から百リーグ足らずという、これほど極西の地に定住している人間は、かれらのほかにはありませんでした。しかしブリー村の先の荒れはてた土地には、得体のしれない放浪の民がいました。ブリー村の人々はかれらのことを野伏《のぶせ》と呼び、かれらの素姓については何一つ知りませんでした。かれらはブリー村の人間たちよりも背が高く、色は黒く、ふしぎな視力と聴力をもち、鳥やけものの言葉を解すると信じられていました。かれらは思いのままに南にさすらい東にさすらい、霧ふり山脈にまでも足をのばしました。しかし今ではかれらはごく小人数で、その姿を見かけることも稀になりました。かれらが姿を見せるときには、遠い国々の噂《うわさ》をもたらし、すでに忘れられた数々のふしぎな話をきかせてくれるので、ブリー村の住人たちは熱心にそれらの話に聴き入ったのですが、それ以上かれらと親しくしようとはしませんでした。

ブリー郷にはホビット族も大勢いました。かれらにいわせると、世界で一番古くホビットが住みついたところがブリー郷であって、ホビットたちがブランディワイン川を渡り、ホビット庄に植民するずっと以前に、ここにホビットの居住地が作られたのだというのでした。ブリー村にもホビットはいるにはいましたが、その大部分は元村におり、とりわけ、人間たちの家を見下ろす、山腹の高いところに住んでいました。大きい人たちと小さい人たちは（かれらはお互いにこう呼び合っていました）互いに仲良く暮らし、余計な干渉はせず、それぞれの流儀で暮らしていたのですが、双方とも当然のことながら自分たちこそブリーの衆の代表と考えていました。こんな奇妙な（しかしすばらしい）取り合わせが見られるところは、世界広しといえどよそにはありません。

　ブリーの衆は、大きい人も小さい人も、わざわざ旅に出かける方ではありませんでした。四つの村の出来事だけが、かれらの主な関心事でした。時たまブリー村のホビットたちが、バック郷《ごう》か、あるいは東四《し》が一《いち》の庄あたりまで遠出することがありましたが、ホビット庄のホビットたちがここまで来ることは、ブランディワイン橋の東からこの小さな郷《さと》まで、馬に乗って一日もかからないくらいの道程《みちのり》だったにもかかわらず今ではめったにありませんでした。以前には時折り、バック郷の里人とか冒険好きのトゥック一族の者がここの旅籠《はたご》屋までやって来て、一晩か二晩泊まっていくこともあったのですが、今ではそれさえも珍しくなりました。ホビット庄に住むホビットたちは、ブリー郷のホビットたちのことを指して「よそ者」といいました。もっとも、かれらにとってはホビット庄の外の者は、みな「よそ者」でした。かれらは、ブリー郷のホビットたちのことをおもしろくもない田舎者ぞろいだと考えて、ほとんど関心をもちませんでした。当時世界の西の地には、おそらくホビット庄の者たちが考える以上に多くの「よそ者」が散在していたと思われます。中には確かに浮浪者と選ぶところがない者もいたでしょう。そういう連中は土手とあれば どんな所にも穴を掘って住み、気に入らなくなったらまたよそへ移って行くという暮らし方をしていました。しかし、少なくともブリー郷では、ホビットたちはちゃんとした暮らしをして栄えていたのです。かれらを田舎者というのなら、ホビット庄の中に住むかれらの遠い親戚たちの大部分も同じことでした。しかしホビット庄とブリー郷の間にもっと頻繁に往来《ゆきき》がされた時代もかつてはあったことが今なお忘れられないでいました。だれから聞いても、ブランディバック一族にはブリーの郷人《さとびと》の血が流れているということでした。

ブリー村には大きい人たちの石造りの家が何百軒かありました。その大部分は街道より高い山腹に抱かれるように建っていて、窓は西に面していました。山の西側には、山から出て山に戻る半円状の深い堀がうがたれ、さらにその内側には繁った生け垣がありました。街道はここで土手道となって、この堀と生け垣を横断していました。しかし街道は生け垣の線をつきぬけるところを大きな門で遮られていました。街道が村から出て行く南の隅にも、もう一つ門がありました。この二つの門は夜になると閉ざされましたが、そのすぐ内側に小さな門番小屋がありました。

街道がずうっと右に延びて、丘の麓《ふもと》を曲がるあたりに、道に面して大きな宿屋がありました。この宿屋は街道を往来する者の数がずっと多かった遠い昔に建てられたものでした。というのは、ブリー村が、昔の追分《おいわけ》の地点にあったからです。村の西のはずれの堀のすぐ外側を古い街道が東街道にまじわって走っていました。昔はその道を人間やその他いろいろの者たちが往き来していました。「ブリー村で聞いた噂話《うわさばなし》のように奇妙な」といういい方は今でも東四が一の庄などで使われていますが、これは、北や南や東からもたらされた噂話《うわさばなし》をここの宿屋で聞くことができた、そしてホビット庄の者たちもそれらの噂話を仕入れるためにもっと足繁くここに通って来た時代から出たものでした。しかし北の国々にはもう久しい以前から人が住まなくなっていて、北街道も今ではめったに使われなくなっていました。通る人もなく草だけが生い茂っていましたので、ブリーの郷人《さとびと》たちはこの古い街道のことを緑道《みどりみち》と呼んでいました。

しかしブリー村の宿屋は今も同じ場所にあり、主人は村の重要な人物でありました。かれの宿は、大きい人たちも小さい人たちもひっくるめて、四つの村の住人たちの中の怠け者でおしゃべりで物見高い連中の集まり場所にもなっていれば、野伏《のぶせ》やその他の放浪者、そしてまた青の山脈への行き帰りに今でも東街道を通る旅人たち（主としてドワーフたち）の寄り場にもなっていました。

フロドとその仲間がようやく緑道追分にさしかかり、村に近づいた頃は、もう暗くなって、白い星が瞬《またた》いていました。かれらは西の門まで来て、それが閉まっているのを知りました。しかし門の中の小屋の戸口に一人の男がすわっていました。かれは立ち上がって、ランターンを取って来て、びっくりした様子で門越しにかれらを眺めました。

「なんの用だ？　どこから来たんだ？」かれはつっけんどんにたずねました。

「わたしたちはここの宿屋に行く。」と、フロドは答えました。「東に向かって旅をしているのだが、今夜はもう先へ進めないから。」

「ホビットだ！　ホビットが四人！　おまけにあの話し方から察するとホビット庄から来たんだな。」門番は独り言のように低い声でいいました。かれは一瞬陰険な様子でかれらにじっと目をそそぎました。それからのろのろと門を開け、かれらを馬に乗せたまま中に入れました。

「ホビット庄の者が夜分街道を馬でやって来るなんてことはあまりねえんでね。」かれは言葉を続けました。ホビットたちはかれの小屋の入口のそばでちょっと立ち止まりました。「なんの用があってブリー村より東におめえさん方が行かれるのか、わしが知りたがるのも、無理ねえじゃねえか！　おめえさん方、名前はなんというんだね？」

「わたしたちの名前も用件も、あんたには関係のないことだ。それにここはそんなことをあれこれ話す適当な場所とも思えないね。」フロドは男の顔つきや声音《こわね》が好きになれなくて、そういいました。

「おめえさん方の用件はわしには関係ねえ、ちげえねえや。」と、男はいいました。「だが、暗くなってからはいろいろたずねるのがわしの役目でね。」

「われわれはバック郷《ごう》から来たホビットだ。旅をしてここの宿屋にちょっと泊まってみようかと思ったのだ。」メリーが口をはさみました。「ぼくの名前はブランディバック。これであんたの気がすむかね？　ブリー村の人たちは昔は旅人にていねいな口を利《き》いたものだ。ともかくぼくはそう聞いていた。」

「わかった、わかった！」と、男はいいました。「なにも悪気があって聞いたわけじゃねえ。だが、村に行ったらわかるだろうが、おめえさん方にうるさく訊ねるのは、何もこの門番のハリーだけじゃねえ、ほかにもいっぱいいるだろうて。おかしなやつらがこのへんをうろうろしているんでね。おめえさん方、小馬亭に行きなすったらわかるが、客はおめえさん方だけじゃあるめえよ。」

かれはホビットたちに向かってお休みなさいの挨拶《あいさつ》をしましたが、ホビットたちはもう何もいいませんでした。ランターンの光の中でフロドは男がもの珍しそうにまだちらちらと自分たちのほうを見ているのに気がつきました。馬を進めながらかれは、自分たちの後ろで、門が閉ざされる音を聞いて喜びました。あの男はどうしてあんな疑い深い様子を示したのだろうか。ホビットの一行のことをあれこれたずねた者があるのだろうか、とかれは思いました。かれの方が先に着いたのかもしれません。しかし、門番の顔つきや声には何かしらかれを不安にするものがありました。ひょっとしたらガンダルフだろうか？　かれらが古森《ふるもり》や塚山丘陵で手間どっている間に、かれの方が先に着いたのかもしれません。しかし、門番の顔つきや声には何かしらかれを不安にするものがありました。

男はしばらくホビットたちをじっと見送っていましたが、やがて自分の小屋に戻って行きました。門番が背を向けるやいなや、黒っぽい姿がするするっと門を乗り越えて入って来て、村の通りの暗闇の中にまぎれこんでいきました。

ホビットたちは馬に乗ってゆるい坂を上り、ぽつんぽつんと建っている何軒かの家の前を通り過ぎ、だんだん宿屋に近づいて行きました。家々はかれらの目には大きく見慣れないものにうつりました。窓のたくさんある三階建ての宿屋をつくづくと見上げて、サムはがっかりしてしまいました。かれは旅に出てから今まで、木よりも高い巨人たちや、それよりもっと恐ろしい者たちなどに自分が出会うところを想像してみることがちょいちょいありました。ところがさしあたって今かれは、はじめて見る人間族やその高い家々にはもううんざりして、まったくのところ、へとへとに疲れた一日の夕べを迎えて、やりきれない気持ちでした。かれは宿屋の中庭の暗がりに黒い馬が何頭も鞍をつけたまま立っているところや、上の方の暗い窓から黒の乗手たちが覗《のぞ》いているところをまざまざと目に見るように思いました。

「まさか今夜はここに泊まるんじゃありませんでしょうね、旦那？」かれはたまりかねていいました。「ここにもホビット衆が住んでるのなら、どうしておらたちを喜んで泊めてくれそうなホビットを探さないんですか？　そのほうがずっとくつろぐと思いますだ。」

「この宿屋がどうしていけない？」と、フロドがいいました。「トム・ボンバディルがここを奨《すす》めてくれた。中にはいればけっこうくつろぐと思うね。」

外から見ても、見慣れた目には感じのいい建物でした。正面は街道に面し、建物の両翼部が後ろにのび、その部分だけ後ろの丘の裾《すそ》が一部けずられていて、建物の裏側は、二階の窓が地面と同じ高さになっていました。建物の正面には広いアーチがくりぬかれていて、左右の翼館の間の中庭に通じていました。そしてアーチの下の左手に、広い石段を二、三段上ると、大きな玄関がありました。ドアは開け放たれたままで、そこから明かりが流れ出ていました。アーチの真上にランプが一つついていて、その下に大きな看板が揺れていました。肥った白い小馬が後ろ肢《あし》で立っている看板です。ドアには白い字で「躍る小馬亭、バーリマン・バタバーの宿」と書いてありました。階下の窓には、厚いカーテンの向こうから明かりの洩《も》れているところがたくさんありました。

外の薄暗がりの中でかれらがためらっていると、だれかが歌い始めた愉快な歌が中から聞こえてきました。たくさんの楽しそうな声がそれに加わり、にぎやかな合唱になりました。かれらは、心を元気づけてくれるようなこの歌声にしばらく聞き入り、それから小馬を降りました。歌はやみ、ついでどっと笑う声や、拍手の音が聞こえてきました。

かれらは小馬を連れてアーチの下をくぐり、馬を中庭に置いたまま石段を上って行きました。フロドはどんどん中にはいって行って、危うくはげ頭であから顔の背の低い肥った男にぶつかりそうになりました。かれは白いエプロンをつけ、なみなみとビールのはいったジョッキを満載した盆を持って、部屋から部屋へ忙しそうに走り回っていました。

「あの――」フロドが口を切りました。

「ちょっくらお待ちくだせまし!」男は肩越しにそうどなると、たくさんの声ががやがやとしゃべり、パイプの煙がもうもうと立ち込める中に姿を消しました。すぐにかれはエプロンで両手を拭きふき出て来ました。

「へい、よくおつきで、小せえ旦那がた！」かれはそういって体を屈《かが》めました。「ご用を承りますで。」

「四人泊まりたいのです。それからできれば小馬を五頭厩《うまや》につないでもらいたいのだが。あなたがバタバーさんですか？」

「さいでごぜえます！　バーリマンちうのが名前でして。バーリマン・バタバーになんなりとご用命くだせえまし！　ホビット庄からおこしでごぜえますな？」かれはそういうと、いきなり片手でポンと自分の額をたたきました。何かをしきりに思い出そうとしているようです。「ホビット！」と、かれは叫びました。「さあて、これで思い出すことはと？　お名前をうかがわしてもれえますめえか、お客様？」

「トゥック氏とブランディバック氏」と、フロドはいいました。「こちらはサム・ギャムジー。わたしの名は山の下です。」

「こりゃどうじゃ！」バタバー氏は指をパチリと鳴らしていいました。「また忘れちまったぞ。したども、考えるひませえあれば、また思いつくべえ。脇道にそれちめえましたが、お客様のご用の方はできるだけはからいましょう。近頃はホビット庄からお泊まり客の見えることがとんとねえもんでごぜえますから、もしお客様方をおもてなしできねえことになれば、いたわしいこって。ところが、今夜はここ久しくなかったくれえの大勢様がどっとお泊まりに見えておいでごぜえましてな。『降れば土砂降り』ちうこの村の諺《ことわざ》どおりでごぜえます。

「おーい！　ノブ！」かれはどなりました。「どこにいる、もじゃもじゃ足ののろまやーい？　ノブ！」

「今行きますだよ、旦那！　今、行きますだ！」陽気な顔のホビットが一人、ドアからひょいと出て来ましたが、旅人たちを見ると、急に立ち止まって、大いに興味をそそられたようにじろじろとかれらを眺めました。

「ボブはどこだ？」と、亭主はたずねました。「知らねえだと？　よーし、ボブを見つけてこい！　大急ぎ！　わしには脚が六本あるわけでもなし、目が六つあるわけでもねえぞ！　ボブに、小馬を五頭厩《うまや》に入れるようにいってくれ。ともかく空いた場所を見つけてくれ。」ノブはにっと笑ってウィンクをすると、急ぎ足で立ち去りました。

「ところでと、わしは何を申し上げるつもりだったかいな？」バタバー氏は額を叩きながらいいました。「次から次へと前のことを忘れちまって。今夜は忙しくて忙しくて、頭がぐるぐる回っちめえます。昨夜南の方から緑道《みどりみち》を上ってみえた一行がおいでで――まずこのことからしてとんと奇体なことなんでして。それから、今晩は西に行かれる途中のドワーフの旅人衆がお着きになりました。そこへ今度は皆様方でごぜえます。お客様がホビットでなけりゃ、お泊めできるかどうかおぼつかねえところでごぜえましたが、北の翼館に一部屋か二部屋、特にホビットのお客様のために造られた部屋が、この建物のできた時からごぜえまして。ホビットの方々がふつう好まれますように一階にごぜえます。それから丸窓はじめすべてホビットの方々のお好みに合わせてごぜえます。どうぞお楽になさってくだせえまし。もちろんお夕食はお召し上がりなせえますな。へい、できるだけ急ぎますで。ではこちらへどうぞ！」

かれはホビットたちを案内して廊下をちょっと行ったところのドアを開けました。「こちらがお客様方のご休憩の間《ま》でごぜえます！」と、かれはいいました。「お気に入るとよろしゅうごぜえますが。ではこれで失礼させていただきます。なにしろ忙しくて忙しくて。おしゃべりするひまもねえもんで。くるくる走り回らなけりゃなりませんで。二本足しかねえ者には辛えこってすが、別にやせもいたしませんで。あとでまたちょっくらうかがいます。ご用がごぜえましたら、卓上鐘《ベル》がおいてごぜえますで、それを鳴らしてくだせえまし。ノブが参じますで。それでもめえりませんようでしたら、どうぞどなってくだせえまし！」

ようやくかれが立ち去った時には、残されたホビットたちの方が、息もつけない気持ちになっていました。どうもここの亭主は、たとえどんなに忙しくても、とめどもなくしゃべり続けることができるようでした。ホビットたちは自分たちがちんまりと居心地のいい部屋にいるのを知りました。煖炉には赤々と火が燃えています。その前には低いすわり心地のよさそうな椅子がいくつか置いてありました。もうちゃんと白いテーブルクロスをかけた丸テーブルもありました。そこには大きな卓上鐘《ベル》がのっていました。しかしみんながその鐘《ベル》を鳴らしてみようと思うより先に、ホビットの召使、ノブがせかせかとはいって来ました。蠟燭《ろうそく》とお皿のたくさんのったお盆を持って来たのです。

「何かお飲みものを召し上がりますかね、お客さま？」と、かれはたずねました。「そいから、お食事のしたくをいたします間に、寝室をお目にかけますだか？」

かれらが顔や手足を洗い、背の高いジョッキになみなみとはいったビールを飲んでいるさいちゅうに、バタバー氏とノブがまたはいって来て、あっという間にテーブルの支度をしてしまいました。熱いスープに冷肉、きいちごのパイにできたてのパン、厚く切ったバターに食べ加減のチーズといった簡素な食事でしたが、ホビット庄でもなかなか食べられないくらいいい味で、家庭的でしたので、サムの不信感もそれですっかり吹き飛ばされてしまいました（すてきにうまいビールによって、はや、あらかたなくなっていたのですが）。

亭主はしばらく飛び回っていましたが、やがてまた失礼してここを出て行く旨を申し出ました。「お食事がおすみになりましたら、あちらの衆のお仲間に加わってみなさるお気持ちがおありなさるかね。」亭主はドアのところに立っていいました。「多分お客様方はすぐお休みになりてえかと存じます。だが、おいでになりてえおつもりならば、あちらの衆は大歓迎なさるこってごぜえましょう。ここにはあまりよその方は――と申しますのは失礼ながらホビット庄からおこしのお方のことでごぜえますが――お見えにならねえもんで。そいでわしどもはちょっとした噂話《うわさばなし》や、憶《おぼ》えておいでの昔話や歌をお聞かせいただきてえと思うのでごぜえます。でもそれはどうぞお好きなように！　何かご入用のものがごぜえましたら、鐘《ベル》を鳴らしてくだせえまし！」

夕食の終わる頃には（なにしろ四十五分間くらいというもの、不必要なおしゃべりでとぎれることもなくただ黙々と食べ続けたのです）、一同はすっかり気分がよくなり元気も出ましたので、フロドとピピンとサムはあちらの一座に加わることにしました。メリーは向こうの部屋はきっと空気が悪いだろうといいました。「ぼくはしばらくここの火のそばでおとなしくすわってるよ。そして多分もう少ししたら空気を吸いにちょっと外に出てみるよ。みんないうことなすこと気をつけてくれたまえ。ぼくたちがひそかに逃亡中なんだということ、ここはまだ街道筋で、ホビット庄からたいして遠くないんだということを忘れないで！」

「わかったよ！」と、ピピンがいいました。「自分こそ気をつけてくれ！　迷子にならないように。それから家の中のほうが安全だということを忘れないで！」

人々が集まっていたのは、宿屋の広い集会室でした。この部屋の薄暗い明かりに目が慣れるにつれ、フロドは、集まった者たちの数が多く、いろんな連中がいることを知りました。明かりの元になるのは勢いよく燃えさかる煖炉の丸太の火でした。梁《はり》からさがっている三つのランプの光は薄暗く、煙で半ばかすんでいました。バーリマン・バタバーは煖炉のそばに立って、二、三人のドワーフたちやそれから見慣れない感じの男たち一人二人にしゃべりかけていました。長い腰掛けがいくつもあって、そこには種々さまざまな連中が掛けていました。ブリー村の人間たち、土地のホビットたちの一団（かれらはすわったまま互いにしゃべっています）、ドワーフたちがさらに何人か、それから向こうの暗い所とか隅の方とかにすわっていてあまりよく見えないぼんやりした姿がいくつかありました。

ホビット庄のホビットたちが部屋にはいっていくや、ブリーの郷人《さとびと》たちの間から歓迎の声が湧き起こりました。見慣れない他国者たち、とりわけ緑道《みどりみち》を北に向けて来た者たちは、珍しそうにじろじろとかれらをみつめました。亭主は新入りの客たちをブリーの郷人に紹介しました。あまり次から次へと目まぐるしく紹介されるので、どうやら名前だけはたくさん聞きとれたものの、どの名前がだれに属しているのかほとんど確認できませんでした。ブリー村の人間たちはだれもみんなちょっと植物的な（そしてホビット庄の者にとっては少々おかしい）名前をもっているようでした。たとえば燈心草ろうそくとか、やぎの葉とか、ヒースの足指とか、ぶんぶんりんごかといったものでした。あざみ毛とか羊歯《しだ》とかいうのもありました（訳註　バーリマン・バタバーも、いってみれば蕗《ふき》の家の大麦じいさんといったところ）。ホビットの中にもこれに似たような名前をもっているのもいました。たとえばよもぎという名前などは無闇にあるようでした。しかしホビットたちの大多数は、土手とか、穴熊とか、長穴とか、砂持とか、それから穴造といったふつうの名前をもっていました。その中にはホビット庄で使われている名前もたくさんありました。元村から来たホビットの中には山の下家が五、六人いました。かれらとしては名前だけ同じ他人などは考えることもできないので、フロドのことを長いこと消息の知れなかったいとこのようになつかしがりました。

ブリー郷《ごう》のホビットたちは実際親切でもあれば、穿鑿《せんさく》好きでもありました。そのうちフロドは自分のしてることをどうしてもいくらか説明しなければならない破目になったことに気づきました。かれは自分のことを歴史と地理に関心をもつ者だと説明しました（これを聞いて頭をふる者が大勢いました。そんな言葉はブリー言葉ではあまり使われないものなのですが）。かれは本を書くつもりでいること（これにはかれらも驚いて黙っていました）、それで、友人と一緒にホビット庄の外、特に東の国々に住むホビットたちに関していろいろ見聞をひろめるつもりでいることなどを話しました。

これを聞いて、周りのホビットたちは口々にしゃべり始めました。もしフロドが本当に本を書くつもりで、おまけに耳がたくさんあれば、数分間のうちに六、七章分の材料を集めることができたでしょう。そして、これで足りないようならばと、もっとくわしいことをいろいろ教えてもらえそうな人たちの名前を「ここのバタバーおやじ」を始めとし、全部いってくれるのでした。しかししばらくたっても、フロドがその場ですぐ本を書きそうな様子をいっこうに見せないので、ホビットたちは今度は質問を転じて、ホビット庄の様子をたずね始めました。しかしフロドがあまり話好きでないことがわかってきたのか、間もなくかれは隅っこにただ一人ぽつんと取り残され、人の話に耳を傾けたり、周りを見まわしたりしてすわりこむことになりました。

人間たちやドワーフたちの方は、主に遠い昔の出来事や、だれもがよく承知しているような噂話《うわさばなし》をしていました。遠い南の方では争いが起こり、緑道を北上してきた人間たちは、安住の地を求めて移動して来たもののようでした。ブリーの郷人たちは同情は示したものの、これだけ大勢の他国人たちをかれらの小さな郷土に喜んで受け入れる気がないことは明らかでした。旅人たちの一人の目つきの悪い感じのよくない男がいうには、そのうちもっともっとたくさんの人たちが南から北へやって来るだろうということでした。「そいつらは住むところを見つけてもらえなかったら、自分で探すだろうぜ。そいつらにだって、他のやつらと同じように生きる権利はあるんだからな。」その男は声高にいいました。この土地の住人たちはそんな予想を聞かされてあまりいい気持ちはしないようでした。

ホビットたちはこんなことにたいして注意を払いませんでした。さしあたって心配の種とは思えなかったのです。大きい人たちがやって来ても、ホビットの穴に住まわせてくれとはちょっといえないでしょうから。ホビットたちはむしろサムとピピンに興味をもちました。この二人はもうすっかりくつろいで、ホビット庄のいろんな出来事を陽気にしゃべりまくっていたのです。ピピンは大堀町の町役場の屋根が崩れ落ちた時の話をして、笑いの渦を巻き起こしました。町長であり、西四《し》が一《いち》の庄随一の肥っちょである小足家のウィルが白堊《チョーク》に埋まり、まるで粉をまぶしただんごのような恰好でそこから出て来たという話でした。しかしみんなの質問の中には、いくらかフロドを不安にさせるようなものがいくつかありました。ブリーの郷人《さとびと》の一人が、今まで何度かホビット庄に行ったことがあると見え、山の下一族の住む場所と、かれらがだれと縁続きになるのかを知りたがりました。

突然フロドは、壁に近い暗がりにすわっている、変わった様子の日焼けした男が、やはり熱心にホビットたちの話に聞き耳を立てているのに気がつきました。かれは背の高いふたつきの大ジョッキを前に置き、珍しい彫りものを施した柄の長いパイプをふかしていました。前に伸ばされた両脚には、かれによく似合うしなやかな皮の長いブーツを穿《は》いていましたが、それはかなり穿き古したもので、その上泥がこびりついていました。旅に汚れた厚地の濃い緑のマントをぴったり身にまとい、これほど部屋が暖かいのに、顔が隠れるくらい目深に頭巾をかぶっていました。それでも、ホビットたちをじっと見守ってる時のかれの目の輝きを、フロドは見てとることができました。

「あの人はだれですか？」フロドはバタバー氏に囁《ささや》きかける機会があった時にたずねました。「あの人は紹介していただかなかったと思いますね。」

「あの人ですか？」亭主は顔は動かさないで、目だけをちらとそちらに向け、やはり小声で答えました。「わしもはっきりとは知らねえんです。あの人は放浪の民——わしども野伏《のぶせ》といっとりますが、それの一人なんでごぜえましてな。あの人はめったにしゃべりません。といっても、その気になれば、そりゃ珍しい話をしてくれることもごぜえますがね。一カ月か、時によると一年ぐらい姿を見せねえでいて、それからまたひょっこりやってめえります。この春にはかなり度々出たりへえったりしてたんですが、このところしばらく見かけませんでした。本当の名前はなんというのか、わしも耳にしたことがごぜえません。しかしこのあたりでは、馳夫《はせお》ちう名前で知られております。あの長え脚であちこち歩き回るからでごぜえます。もっともなんのためにそんな

使うにもなさそうで……かれ

に走り回ってるのか、あの人はだれにも話しませんので。しかし、ブリー村でわしどもがよく使ういい方なんですが、『東と西は辻褄《つじつま》あわず』失礼ながらこれは野伏とホビット庄の方々のことで、その方たちのなさることは説明しようがねえと申しますんで。あなた様があの人のことをおたずねになるとはおもしろいこってごぜえますなあ。」しかしちょうどその時、バタバー氏はもっとビールを運んでくれという他のお客の注文があって、向こうへ呼び戻されましたので、かれのこの最後の言葉はとうとう説明されないままになりました。

フロドが気がついてみると、馳夫《はせお》は今度はかれの方を見ていました。まるでフロドと亭主の間に交わされた話を全部聞いたのか、それとも考えあてたかのようでした。やがて、かれは手招きをし、顎《あご》をしゃくって、フロドにそばに来てすわるようにいいました。フロドが近づくと、かれは頭巾を後ろにずらしましたので、半白のもしゃもしゃ頭が現われました。血の気のないきびしい顔には、二つの鋭い灰色の目がありました。

「わたしは馳夫と呼ばれています。」かれは低い声でいいました。「お目にかかれてたいへんうれしく思います。ええーと、山の下さん、バタバーおやじがあなたのお名をまちがわずにうかがってるとすればですがね。」

「まちがいありません。」フロドは固くなっていいました。この鋭い目でじっと見つめられて、かれはとてもくつろいだ気分になるどころではありませんでした。

「ところで、山の下さん」と、馳夫はいいました。「わたしがあなたなら、あなたの若い友人た

ちにあまりおしゃべりをさせないようにしますがね。酒がはいり、煖炉が燃えている、それに思いがけずいろんな人たちに出会うとなれば、いい気持ちになるだろうけれど、しかし、それはそうとして——ここはホビット庄じゃない。おかしな者たちもうろうろしている。このわたしがそんなことをいうのはおかしいと、あなたはお考えかもしれないが。」かれはフロドのまなざしを見て、苦笑いしながらつけ加えました。「それについ最近もっと変わった連中がブリー村を通って行った。」かれはフロドの顔をじっと見守りながら、言葉を続けました。フロドもかれを見返しましたが、一言もいいませんでした。馳夫《はせお》はそれ以上言葉を続ける様子を見せませんでした。かれの注意は突然ピピンに向けられたように見えました。このとんでもないトゥック家の若者は、大堀町の肥っちょの町長のまねをして成功したのに気をよくし、今やまさに、ビルボの別れの宴をおもしろおかしく説明しようとしているのでした。フロドはそれに気づいて仰天しました。ピピンはもうビルボの演説のまねをしています。いよいよビルボが姿を消すあの驚くべき場面に近づこうとするところです。

フロドは困ってしまいました。この土地のホビットたちの大部分にとっては、確かに他愛もない話でしょう。川向こうのおかしな人たちのおかしな話の一つにすぎません。しかし少しは何か知っていて、ビルボが姿を消した話をずっと以前に聞いたかもしれない連中もいるわけです（たとえば、バタバーおやじもその一人でしょう）。その連中は、ピピンの話を聞けば、バギンズの名前を思い出すでしょう。もし最近、この土地でバギンズのことをたずねた者があるとすればなおさらです。
フロドはどうしていいかわからず、そわそわと落ち着きませんでした。明らかにピピンは、みんなの注目を集めることがうれしくて、自分たちの危険をすっかり忘れてしまったようでした。この調子ならかれは指輪のことだって持ち出すかもしれないと、フロドは急に心配になってきました。そうなればたいへんなことになるかもしれません。

「今すぐ何か手を打ったほうがよろしいぞ！」馳夫がフロドの耳に囁《ささや》きました。

フロドはテーブルの上に跳びのって、そこで立ったまま話し始めました。ピピンに向けていた聴衆たちの注意がそらされました。ホビットたちの中にはフロドの方を見て、笑いながら手を拍《たた》く者もいました。山の下氏もいい気分になるくらいビールをきこしめしたんだなと考えたのです。

フロドは急にとても気まりが悪くなってきました。そして知らぬ間に（いつも演説をする時のくせで）ポケットの中の品物をまさぐっていました。鎖のついた指輪が手にさわりました。するとまったくふしぎなことに、それに指を滑り込ませて、このばかげた状態から身を隠したいという強い望みに襲われました。かれにはどういうわけでか、その示唆が外部から、つまりこの部屋の中のだれか、あるいは何かのところからかれのところに届いたもののように思えました。かれは断固としてその誘惑に抵抗しました。そして、指輪をしっかりつかまえ、手から逃げ出したり、何かいたずらをさせないように、握りしめました。いずれにしても、それで霊感が湧くわけではありません。かれはホビット庄でいうところの「ふさわしい言葉を二、三」述べました。「わたくしども一同、みなさまの暖かいご歓待に大いに感謝いたしております。そしてわたくしは僭越ながら、わたくしのこの短い訪問が、ホビット庄とブリー郷《ごう》の間に結ばれた古い友情の絆を新たにする一助ともなりますことを願っております。」そこでかれは口ごもり、咳をしました。

今やこの部屋にいる者は一人残らずかれの方を見ていました。「歌だ！」ホビットたちの一人がどなりました。「歌だ！　歌だ！」他の者はみんなどなりました。「さあさあ、旦那、おれたちに何か歌っておくれ、今までおれたちが聞いたことがないようなやつを！」

しばらくの間、フロドはぽかんと立っていました。それからやけっぱちで滑稽な歌を歌い始めました。それはビルボがとても好きな歌でした（本当はとても自慢にしていたのです。というのはかれが自分で歌詞をこしらえたからでした）。それは宿屋の歌でした。この歌がちょうどその時フロドの心に浮かんだのもおそらくそのためでしょう。ここにのせてあるのがその歌の全部です。今ではふつうこの中のほんの数行が憶《おぼ》えられてるにすぎません。

灰色の山の麓《ふもと》に、宿屋があってさ、
　それは愉快な、古旅籠《はたご》だったさ。
そこのビールは茶色で、のみごろ。
　そこである晩、月の男が、
存分のもうと、降りて来たとさ。

宿のかい猫、一杯機嫌でさ、
　五弦の胡弓を、かきならしたさ。
弓は走るよ、ゆきつもどりつ、
キキキときしむやら、ルルルとうなるやら、
　ギイギイギイと、目立《めだ》ての音《ね》やら。

亭主の小犬は、だじゃれが大好きで、
　客にまじって、聞き耳立てて、
お客衆がそろって、さんざめくとき、
だじゃれはどこぞと、片耳そらせ、
　息がつまるほど、高笑いするとさ。

宿には、角ある牝牛もおってさ、
　お妃さまほど、お高くとまってさ、
けれど、音楽はビールのように利《き》いて、
頭ふらふら、尻尾ふりふり、

牝牛おどらす、草の上に、さ。

そーら、並んだ銀の皿、小皿、さ。
銀のお匙も、山とあるぞ！
日曜用には、とびきりの一組。
土曜の午後は、その匙と皿、
　念入りによく、磨きあげるとさ。

月の男は、したたかのんでさ。
　猫は、ニャーニャー泣き出した。
匙と皿とがテーブルで踊り、
庭じゃ牝牛が浮かれて跳ねて、
　小犬が尻尾を、追っかけたさ。

月の男は、ジョッキのお代わりさ。
　それから、椅子の下に転がりおちて、
うとうと寝る間も、夢はビールさ、

お空の星が色あせるまで、
　暁ま近に、せまるまで、さ。

さても馬丁は、よいどれ猫に、さ。
「月の白馬が、いななきながら
銀の轡《くつわ》を、かみかみ待つが、
そのご主人は、正体がないぞ。
　間もなくお日さまのぼるというに。」

そこで猫どん胡弓をひいたさ。
死人《しびと》も目さます陽気な囃《はや》し、ヘイ、ディドル、ディドル！
キーと浮き、ギーと弾き、調子を早めた。
宿屋は、月の男をゆりおこした、さ。
「とっくに、三時をすぎました！」と。

みんなで、男を山の上へころがしてさ。
　山から、月へ投げ込んでやったさ。

あとから馬ども、おいかけていった。
牝牛もつづいて、鹿のように追った。
　つづいて皿も、匙といっしょにかけた。

胡弓は早まる、ヘイ・ディドル、ディドル！
　小犬は、わんわん、ほえだした。
牝牛と馬たち、逆立ちした、さ。
お客衆はみんな、はねおきて、
　床の上で、ひと踊りしたさ。

ピィン、プツン！　と、胡弓が切れたさ。
　牝牛は、月をとびこした。
小犬は、それみて、大笑い。
土曜日の皿は、家出をして、さ
　日曜日の匙と、かけおちしたさ。

まるい月男は、山の後ろにころげおち、

日娘、顔をそっと出した。
もえるその目が、何を見てたまげた、さ。
朝だというのに、まあ、おどろいた。
　ぞろぞろみなさん、ベッドに戻るとは！

なりやまぬ大きな拍手が起こりました。フロドはいい声をしていましたし、歌はかれらの気に入りました。「大麦《バーリマン》じいさんはどこだ？」と、かれらはどなりました。「これを聞かせなくちゃなんねえぞ。じいさん、飼い猫に胡弓を教えるといいだ、そうすりゃおれたちもダンスができらあ。」かれらはもっとビールを注文し、それからどなり始めました。「旦那、もう一度聞かせてくんろ！　さあ、やっておくれ！　もう一度！」
　みんなはフロドにもう一杯飲ませました。そこで歌はもう一度繰り返されました。一緒に声を合わせて歌う者も大勢いました。みんなのよく知っている節回しでしたし、またかれらは言葉を覚えるのがなかなか速かったからです。今度はフロドがいい気持ちになる番でした。かれはふざけてテーブルの上をはね回りました。そして二度めに「牝牛は月をとびこした」という所に来た時、かれはぱーっと跳び上がりました。あまり勢いよく跳んだので、かれはジョッキのいっぱいのったお盆の上にガチャンと落っこち、つるっと滑って、ガチャガチャ、ガラガラ、ドシーンとテーブルから転がり落ちました！　聴衆たちは口を大きくあけてゲラゲラ笑おうとしましたが、そのままびっくり仰天して黙り込んでしまいました。なぜなら歌い手の姿が見えなくなってしまったからです。まるで穴一つ残さず不意に床から抜け出してしまったように、まったく姿を消してしまったのです。

ブリー村のホビットたちは呆気にとられて目を見張りましたが、やがていっせいに立ち上がって大きな声でバーリマンを呼びました。一座の者はみんなピピンとサムから身を引きました。二人は気がついてみると隅っこにただ二人だけ取り残され、遠くの方から敵意を含んだ疑わしそうな目つきでじろじろ見られていました。明らかに多くの者たちがかれらのことを今では未知の力と目的を持つ旅回りの魔術師たちの一座だと考えているようでした。しかしブリーの郷人《さとびと》の中に一人の色の浅黒い男がいました。かれは二人がいたたまれなくなるほどの、半ば嘲けるような心得顔で立ったままじっと二人を見ていました。間もなくかれはそっとドアから脱《ぬ》け出しました。そのあとをいやな目つきの南から来た男がついて行きました。この二人はこの晩、しきりにひそひそ話し合っていたのです。門番のハリーもかれらのすぐあとから出て行きました。

フロドは決まり悪く思いました。どうしていいかわからず、テーブルの下からこそこそ逃げ出し、馳夫《はせお》のそばに行きました。馳夫はじっとすわったまま、何を考えてるのか一つも気《け》取らせません。フロドは壁によりかかり、指輪をはずしました。どうしてこれが指にはまったのか、かれにはわかりませんでした。かれに想像できることはただこういうことでした。歌っている間、かれはポケットに手を入れて指輪をまさぐっていたのですが、落っこちた時に、ささえをつかもうとあわててぐいと手を突き出した時、どういうわけか指にはまってしまったのでしょう。しばらくの間、かれは指輪自身がかれを罠《わな》にひっかけたのではなかろうかと疑いました。おそらくそれは、この部屋の中に感じられるだれかの願いか命令に応えて、正体を現わそうとしたのかもしれません。かれは外に出て行った男たちの顔つきが気に入りませんでした。

「それで？」フロドがふたたび姿を現わすと、馳夫はいいました。「なぜあなたはあんなことをしたのですか？　あなたの友人たちが何をいったところで、あれほどひどいことにはならなかっただろう！　あなたは苦しい立場に足を突っ込んでしまった！　それとも指を突っ込んだというべきか？」

「あなたのおっしゃることがわかりませんね。」フロドは驚き困惑していいました。

「そんなことはない、あなたにはわかってる。」と、馳夫は答えました。「しかし、この騒ぎがおさまるまで待ったほうがいいでしょう。それから、バギンズさん、あなたさえよければ、ちょっと一言、静かなところでお話ししたいのですがね。」

「何についてですか？」突然自分の本名を呼ばれたことを無視して、フロドはたずねました。

「少々重大なことです——われわれ双方にとって。」馳夫はフロドの目を見ながら答えました。「あなたの利益になることを聞かせてあげられるかもしれません。」

「いいでしょう。」フロドはなるべく平気な顔をしようとしました。「あとでお話ししましょう。」

一方炉端では言い合いが行なわれていました。せかせかと部屋にはいって来たバタバー氏は、この事件についての互いに相矛盾するいくつかの説明を一度に聞き分けようと耳を傾けていました。

「おれは見ただよ、バタバーさん。」一人のホビットがいいました。「それとも、見なかったといったほうがいいだかな、おれのいおうとしていることわかるかね。まあ、いってみりゃ、あいつはまるで薄い空気になってかき消えただよ。」

「まさか、よもぎどん！」亭主は途方にくれていいました。

「いいや、そうだとも！」よもぎどんは答えました。「おまけに、これは冗談じゃねえ、本気でいってるんだぜ。」

「どこかで何か行き違いがあるんでしょう。」バタバー氏は頭をふりながらいいました。「あの山の下さんが消えうせた。薄い空気になった。それとも濃い空気になった。この部屋じゃそういったほうが似つかわしいがね。だけんどちょっと信じられねえ話だねえ。」

「それで、あいつは今どこにいる？」いくつかの声が叫びました。

「わしが知ってるはずがないじゃごぜえませんか？　あしたちゃんとお金を払ってせえもらえれば、あの方はどこでも行きてえところへ行っていいちゅわけで。ほら、トゥックさんはおりますぞ、あの人は消えうせなかった。」

「そうはいっても、おれは見たものを見たぞ、そいから見なかったものを見たぞ。」よもぎどんは執拗にいいました。

「だからわしは何かまちげえがあるんだというんでさあ。」バタバーはお盆を拾い上げ、割れた瀬戸物を集めながら、繰り返しました。

「もちろんまちがいです！」と、フロドがいいました。「わたしは消えうせなかった。ほら、ここにいる！　部屋の隅で馳夫《はせお》さんとちょっと話してただけですよ。」

かれは炉端の明かりの中に進み出て来ました。しかし居合わせた者の大部分は、前よりももっとあわてふためいて、後ずさりしました。かれはテーブルから落っこちたあと大急ぎでその下から這《は》い出て向こうへ行ったのだと説明しましたが、かれらは納得するどころではありません。ブリー郷《ごう》のホビットたちも人間たちも、その夜はもうこれ以上楽しむ気にもならず、むっと怒った顔をしたまますぐ出て行ってしまいました。中に一人か二人、フロドをこわい顔で睨《ね》めつけて、互いに囁《ささや》きかわしながら行く者もいました。まだ残っていたドワーフたちや、二、三の見慣れぬ男たちも立ち上がり、亭主にお休みなさいの挨拶《あいさつ》をしましたが、フロドとその友人たちには声をかけませんでした。間もなく馳夫のほかにはだれもいなくなりました。馳夫は終始人目を引かず、壁際にすわり続けていたのです。

バタバー氏はそれほど困ってるようには見受けられませんでした。大いにありそうなことですが、おそらくかれは、今夜の怪事件についてああでもないこうでもないとすっかり話が出つくしてしまうまで、これから幾晩も幾晩もかれの宿はお客で埋まるだろうと胸算用をしていたのでしょう。「で、あなた様は何をしでかしなさったんです、山の下の旦那?」と、かれはたずねました。「うちのお客様方をこわがらせ、あなた様の曲芸でうちの器をさんざんこわして!」

「ご迷惑をかけてすみませんでした。」と、フロドはいいました。「あんなことするつもりはまったくなかったのです。本当ですよ。たいへん運の悪い出来事だったのです。」

「わかりました、山の下さん! けれど、あなた様がこれからも転げ落ちたり、魔法を使ったり、なにやらかやら、なさるおつもりなら、前もって皆の衆に——そいからわしにも——注意してくだすったほうがよろしゅうごぜえますな。このあたりに住む者は、なんでも異常なものには——つまりおわかりでしょうか、薄気味悪いもんには、少々疑い深いんでごぜえます。たちまち気にいるなんてことはねえんでして。」

「わたしは二度とああいったことはしませんよ、バタバーさん、お約束しますよ。ところでわたしはもうそろそろ寝るつもりです。明日は朝早く出かけますから。八時までに馬のしたくをしておいてくださいますか?」

「承知しました! ですが、その前に一言あなたさまに内密にお話し申し上げてえことがごぜえます、山の下さん。ぜひお話ししなければならねえことを、ちょうど思い出しましたんで。お怒りにならねえようにお願えします。一つ二つ仕事を片づけましてから、もしよろしければ、お部屋にうかがいますで。」

「けっこうです!」と、フロドはいいましたが、内心がっかりしました。寝るまでにいったいいくつ内密の話をすることになるのだろうか、そしてその話によっていったい何が明らかになるのだろうかと思ったからです。この連中はみんなぐるになって何か企んでいるのだろうか？　かれは、バタバーおやじの肥った顔さえ、悪企みを隠しているのではないかと疑い始めました。

十　馳　夫

フロドとピピンとサムは自分たちの休憩室に戻りました。部屋には明かりがついていませんでした。メリーの姿はなく、煖炉の火は消えかけていました。みんなで残り火を吹いてやっと燃え立たせ、薪の束を二つ三つ放りこんだとき、かれらははじめて馳夫《はせお》が一緒について来たことを知りました。入口のわきの椅子にかれが落ち着きはらってすわっているではありませんか！

「やあ！」と、ピピンはいいました。「きみはだれだ？　なんの用があるんだ？」

「わたしは馳夫と呼ばれる者だ。」と、かれは答えました。「もう忘れてしまわれたのかもしれぬが、あなたのご友人が、わたしと静かに話そうと約束されたのだ。」

「何かわたしの利益になることを聞かせてやると、確かいわれましたね。」と、フロドはいいました。「あなたは何をいってくださるつもりなんですか？」

「いくつかあります。」と、馳夫は答えました。「だがそれにはもちろん交換条件がある。」

「どういう意味ですか？」フロドは語気するどくたずねました。

「なにもびっくりすることはない！　ただこういうことなのだ。わたしは自分の知っていることをあなたに話してあげよう。そして何か役に立つ助言をしてあげよう――しかしそれには報酬がほしいのだ。」

「そしてそれはなんですか？　どうぞいってください。」と、フロドはいいました。かれはごろつきの術中に陥ったのではないかと疑い始めました。そして落ち着かない気持ちでお金を少ししか持って来なかったことを思い出しました。ごろつきならそればかり、全部やったところで満足しないでしょうし、第一、一文も無駄にはできないお金でした。

「あなたにとってできない相談ではない。」馳夫はまるフロドの心中を察したかのように、ゆっくりと笑みを浮かべて答えました。「ただこういうことです。わたしをぜひあなたと一緒に連れて行ってほしいのだ、わたしが別れたいというところまで。」

「へえ、それは、それは！」フロドは驚いて答えましたが、別に胸を撫でおろしたわけではありません。「たとえわたしがもう一人連れを欲しがってたとしても、あなたと、あなたの用むきについてもっといろいろ知るまでは、そんなことにおいそれと応じるわけにはいきませんね。」

「えらい！」馳夫は脚を組み、楽な姿勢で深々と腰かけたまま、感心したようにいいました。「あなたはどうやら分別を取り戻してきたようだ。祝着至極なことですな。あなたは今までのところあまり不注意すぎたから。よろしいとも！　わたしはあなたに知っていることを話し、報酬のことはあなたに任すとしよう。わたしの話を聞けば、あなたも喜んでわたしの要求を容れてくれるかもしれない。」

「それなら話してください！」と、フロドはいいました。「あなたは何を知っているんです？」

「あまりにも数多くの暗いことを、知りすぎるくらいに。」馳夫《はせお》はきびしい口調でいいました。

「しかし、あなたが旅に出られた目的については――」かれは立ち上がるとドアの所に行き、さっとそれを開いて外を覗《のぞ》きました。それから静かにドアを閉めると、またもとのところに腰を下ろしました。「わたしは耳ざといのです。」かれは声を低めて言葉を続けました。「わたしは姿を消すことこそできないが、今までにたくさんの用心深い野生のけものたちを捕えてきた。そしてその気になりさえすれば、いつでも姿を見られずにすむのだ。ところで、今晩、わたしはブリー村の西の街道の生け垣の陰にいた。するとその時、ホビットが四人、塚山丘陵の方からやって来た。かれらがボンバディルじいさんにいっていたことや、あるいは互いに話し合っていたことをここにいちいち繰り返す必要はないとして、一つわたしの興味を引いたことがあった。『どうか忘れないでくれ、』と、その中の一人がいった。『バギンズの名前をけっして口にしないこと。名前をいわなきゃならないことがあれば、わたしの名は山の下なんだからね。』これを聞いてわたしは非常に興味をそそられたので、かれらのあとをつけてここまで来たのだ。かれらのすぐあとで、わたしはそっと門を乗り越えた。おそらくバギンズ氏には本名をあとに残して旅に出る正当な理由がおありなのだろうが、それならそれで、バギンズ氏も友人方ももっと用心深くなさるようにと申し上げなければなりませんな。」

「ぜんたいわたしの名がブリー村の人たちにどれほど重要性があるのかわからないな。」フロドは怒っていいました。「そしてなぜそれがあなたの関心を引いたのか、ぜひ教えていただきましょう。馳夫氏はこっそり様子をうかがったり、立ち聞きをしたりする正当な理由をお持ちなのだろうが、それならそれで、その理由を説明していただくよう申し上げなければなりませんな。」

「なるほどもっともなご返事だ！」馳夫は声をあげて笑いました。「だが、その説明は造作ない。わたしはフロド・バギンズというホビットを探していたまでのことだ。わたしは早くかれを見つけたいと思っていた。わたしは、かれがホビット庄から、そう、わたしやわたしの友人たちにかかわりのある、ある秘密をもって出たということを聞いていたのだ。」

「まあまあ、思い違いをしないでくれ！」フロドが椅子から立ち上がり、サムが怖い顔をしてすっくと立ち上がったので、馳夫は声をあげました。「わたしならあなたたちよりもっとその秘密について用心するだろう。それに用心が必要なのだ！」かれは椅子から乗り出して、三人にじっと目をむけました。「影という影に気を配りなさい！」かれは低い声でいいました。「黒い乗手たちがブリー村を通り過ぎた。月曜に一人、緑道《みどりみち》を北からやって来たということだ。そのあとまた一人現われた。緑道を南から北上して来たのだ。」

沈黙が続きました。ようやくフロドがピピンとサムに話しかけました。「あの門番がわれわれを出迎えたときの様子から、当然そうと考えるべきだった。」と、かれはいいました。「それに、宿の亭主も何か耳にしているようだった。かれはなぜわたしたちにみんなの集まりに加わるように勧めたのだろうか？　それにわたしたちはいったいまたなんであんな馬鹿なまねをしたんだろうか？　わたしたちはおとなしくここにひっ込んでいるべきだったのだ。」

「そうしたほうがよかったことはよかった。」と、馳夫《はせお》はいいました。「もしそうできれば、わたしはあなた方が集会室に行くのを止めさせただろう。しかし宿の亭主はわたしがあなたに会うことも許してくれなければ、伝言を伝えてくれようともしなかった。」

「あなたはかれのことを――」フロドが口を切りました。

「いや、わたしはバタバーおやじが何か悪いことをするとは思わない。ただおやじは、わたしのような得体のしれぬ放浪者が好きにはなれないというだけのことだ。」フロドは当惑したまなざしをかれに投げました。「どうだろう、わたしはちょっとごろつき風ではないかな？」馳夫は唇を曲げ、目にふしぎな光をたたえていいました。「だが、わたしはわたしたちがお互いにもっと知り合えたらいいと思う。そうすれば、あなたもあなたの歌の終わりに起こった事件を説明してくれるものと思う。なぜならあのちょっとした悪ふざけが――」

「あれはまったくの突発事故です！」と、フロドが口をはさみました。

「そうだろうか。」と、馳夫はいいました。「それなら突発事故としておいてもいい。その偶発事故があなたの立場を危険なものにした。」

「今まで以上に危険にはなりませんよ。」と、フロドがいいました。「わたしはあの乗手たちがわたしを追跡していることは前から知ってます。だけど、ともかくかれらはわたしを見つけそこなって、行ってしまったようじゃないですか。」

「そんなことをあてにしていてはいけない！」馳夫はぴしりといいました。「かれらは戻って来るだろう。それにもっと何人もやって来る。かれらの仲間はほかにもいるのだ。わたしはかれらの数を知っている。わたしはあの乗手どもを知っているのだ。」かれは黙りました。目が冷たくけわしくなりました。「それに、ブリー村にも信用できない者たちがいる。」と、かれは言葉を続けました。「たとえば、しだ家のビルだ。かれはブリー郷《ごう》では悪名が高く、おかしな連中がかれに会いに来る。あなた方は今夜の一座にあの男の姿を認めたに違いない。色の浅黒い、顔に冷笑を浮かべていたやつだ。かれは南から来た他国人の一人と非常に親しくしていて、二人は、あなたのその『突発事故』のすぐあと、一緒に姿を消した。南から来た連中の全部が全部善意をもっているわけではない。それにしだ家のビルとなると、あの男は相手がだれであろうとどんなことだろうと、売れるものは売ろうとするだろう。ひょっとすれば気晴らしに悪事を働くやつだ。」

「ビルが何を売るのですか？　それにわたしの突発事故があの男とどういうかかわりがあるんです？」フロドはあくまで馳夫のいうことがわからないふりを通そうとして、そういいました。

「むろんあなたについての情報だよ。」と、馳夫は答えました。「あなたがしでかしたことについての話は、ある者たちにとっては大いに興味があることだ。その話を聞けば、かれらはあなたの本名を知る必要もほとんどなくなるわけだ。おそらく夜が明けるまでにかれらはその話を耳にするものと思われる。これだけ話せば十分でないかな？　わたしの報酬、つまりわたしを案内人として連れて行くかどうかは、あなたの好きになさるがいい。しかしわたしはホビット庄から霧ふり山脈にかけてのすべての土地に委しいと申し上げてもよかろう。なぜならわたしは長年これらの土地を歩き回って来たからだ。わたしはみかけよりも年寄りなのだ。おそらくわたしがあなた方の役に立つことになろうかもしれぬ。今夜以後は、あなたたちは街道を離れなければならないだろう。なぜなら例の乗手たちが夜も昼も街道を見張っているからだ。あなたたちはブリー村から逃げ出すことはできるかもしれぬし、日のあるうちは先に進むこともできるかもしれない。しかし遠くまで行くことはできないだろう。あなた方が人気のない荒野や、助けを呼べない暗い所にさしかかったとき、かれらはあなた方を襲うだろう。あなたたちはかれらに見つかりたいとお思いかな？　かれらは恐ろしい者たちだ！」

ホビットたちはかれに目を向けました。そしてその顔が苦痛に歪み、その両手が椅子の腕木を固く握りしめているのを見て、驚きました。部屋の中は何一つ動くものもなく静まりかえって、明かりもだんだん光が薄れてきたように思われました。しばらくの間、かれは目を見開いたまま何も見ず、まるで遠い記憶を辿《たど》っているかのように、あるいははるかかなたの夜の中に聞こえる物音に耳を傾けているかのように、じっとすわっていました。

「さあ！」一刻の後、かれは額に手をやり、そう叫びました。「この追手の者たちについては、多分わたしの方があなた方よりもよく知っているはずだ。あなた方はかれらを恐れてはいる。しかしそんな恐れ方ではまだ足りないのだ。明日になれば、あなた方は逃げなければならない。もし逃げることが可能ならばのことだが。馳夫《はせお》なら、めったに人の通わぬ小道を通って、あなた方の道案内を勤めることができる。あなた方はかれを連れていくか？」

重苦しい沈黙が続きました。フロドは答えませんでした。かれの心は疑いと心配とでかき乱されました。サムは眉根を寄せて、自分の主人に目をそそいでいましたが、とうとう口を切りました。

「ごめんなすってくだせえ、フロドの旦那。おらは『いけない』と申しますだ。ここにいるこの馳夫っていう人は、気をつけろ、用心しろといいます。それにはおらも『その通り』と申しますだ。だが、まずこの人から用心してかかることにしましょう。この人は荒野から来た人です。おらは荒野から来た者たちのことで、いいことは何一つ聞いたことがないですだ。この人が何かを知ってることはまちがいねえことです。おらの気に入らねえくらい知ってるようですだ。だがそんなことで何もこの人に案内してもらって、それこそこの人がいってたような助けも呼べない暗い所に連れ込まれるようなことをせんでもええと思いますだ。」

ピピンはそわそわと落ち着かない様子をしていました。馳夫はサムには答えず、その鋭い目をじっとフロドに向けました。フロドはその視線を受け止めましたが、すぐにまた目をそらしました。「いいや、」かれはのろのろいいました。「わたしは同意しかねます。あなたは、本当のあなたはですね、ご自分でこう見られたいと思ってらっしゃるあなたとは違うのじゃないかと、わたしは思うのです。はじめのあなたはブリー村の人間みたいにわたしに話しかけられた。しかし今のあなたの声は違う。この点では、サムのいうことはもっとものように思えます。わたしには、いったいなんであなたがわたしたちに用心しろと警告しておきながら、一方では、あなたを信用して連れて行けといわれるのかわかりかねるのです。なんのために正体をかくしてられるのです。あなたはだれなんですか？　あなたは、わたしの――わたしの用むきについて何を本当に知っていられるのです？　そしてまたどうやってそれを知られたんですか？」

「用心しろという教えは十分に身につけられたな、」馳夫《はせお》は苦笑いを浮かべていいました。「しかし用心することと、ためらうこととは別だ。今となっては、あなた方は自分たちだけではけっして裂《さ》け谷《だに》まで行き着けないだろう。わたしを信用することだけがあなた方に残された可能性だ。あなたは心を決めねばならぬ。あなたが心を決めるのに役立つとすれば、わたしはあなたの質問のいくつかに答えよう。だが、あなたがもうすでにわたしを信用してないのなら、どうしてそのあなたにわたしの話が信じられるだろうか？　それでもやはり――」

ちょうどその時、ドアにノックの音がしました。バタバー氏が蠟燭《ろうそく》を持ってやって来たのです。かれの後ろには、ノブがお湯のはいった罐《かん》をいくつか下げてついて来ました。馳夫は暗い片隅にひっ込みました。

「お休みなさいのご挨拶《あいさつ》を申し上げにめえりました。」亭主はそういいながら、蠟燭をテーブルの上に置きました。「ノブ！　お湯を部屋にお持ちしろ！」バタバーははいって来て、ドアを閉

めました。

「実はこういうことでごぜえまして、」バタバーはいかにも困った様子で口ごもりながら話し始めました。「ご迷惑をおかけしたのでありますれば、まことに申しわけねえ仕儀でごぜえますが、はやご承知いただけますように、次から次へと考えごとが出てきますもんで、なにしろ忙しい人間でごぜえますんで。ところが今週になりましてからよく申しますように類が友をよんで、次々と記憶を呼びさますことがごぜえました。おそすぎたちうことにならねえように願えますが、こういうことでごぜえます。実はわしは、ホビット庄のホビットの方、それも特にバギンズちう名前の方を捜すように頼まれていたのでごぜえました。」

「それがわたしとなんの関係があるんですか？」と、フロドはたずねました。

「おやおや！　それはあなたさまが一番よくご存知のことでして。」亭主は心得顔にいいました。「わしはこの口からあなたさまがそうだなどとは申し上げません。ですが、わしは、このバギンズちう方が山の下ちう仮名をお使いになるだろうと聞かされましたし、それに失礼でごぜえますが、あなたさまにぴったりの人相書も貰ってごぜえますので。」

「本当かね？　それならそれを見せてもらおう！」フロドはうっかり口をはさみました。

「『ずんぐりして背が低く、ほっぺたが赤い』、」と、バタバー氏はまじめくさっていいました。ピピンはくすくす笑い、サムはむっとした顔をしました。「『これだけじゃたいして役に立つまいな。たいていのホビットに当てはまることじゃから、バーリマン君。』その方はそう申しました。」バタバー氏はピピンの方にちらと目をやって、また言葉を続けました。「『だがこの者は一部のホビットたちよりは背が高く、大部分のホビットたちより色が白い。また口と顎《あご》の間にくぼみがある。目もとの晴れやかないきのいいやつだ。』ごめんくだせえまし。ですが、これはあの方がいうままでして、わしの言葉ではごぜえませんから。」

「あの方がいった？　あの方ていうのはだれなんです？」フロドは熱心にたずねました。

「おや！　ガンダルフでごぜえますよ。そう申し上げりゃおわかりでしょうか。魔法使だとか世間では申しておりますが、そうであるにしろないにしろ、わしの親しい友人でして。しかし、今度かれに会えば、どういう文句をいわれることになりますやら。宿のビールをすっかり酸っぱくしてしまうか、わしを木っ株に変えてしまうかされたところで、わしは驚きやしません。あの方は少々せっかちでごぜえますから。それでもやはりでかしちまったことは、もう元には戻しようがごぜえませんので。」

「それで、あなたは何をしたっていうんですか？」バタバーが頭にあることをゆっくり繰りだすのに我慢できなくなって、フロドはいいました。

「どこまでお話ししましたっけ？」亭主はそういうとしばらく黙り、やがて指をパチリと鳴らしました。「ああ、そうでした！　ガンダルフのことで。三カ月前のこと、あの方はノックもしねえでいきなりわしの部屋にへえって来ました。『バーリマン』と、あの方は申しました。『わしは明日の朝、発つ。一つお前さんに頼みたいことがあるんじゃが。』『おっしゃってくだせえ。』と、わしはいいました。『わしは急いでいるんじゃ。』と、あの方はいいました。『それで自分では行けないのじゃが、ホビット庄に手紙を持ってってほしいのじゃ。お前さんところで使ってる者でだれか安心して使いにやれるのがいるかね？』『だれかおりますよ。』と、わしは申しました。『多分明日か、それでなきゃ、明後日《あさって》には。』『明日にしてくれ。』と、あの方はいいました。そして、わしに手紙をわたしました。

「宛名はしごくはっきりしております。」バタバー氏はそういうと、ポケットから手紙を一通引っ張り出し、宛名をゆっくりと誇らしげに読みあげました（かれは学があるという評判を自慢にしていたのです）。

ホビット庄、ホビット村、袋小路
フロド・バギンズ殿

「ガンダルフからわたしにあてた手紙だ！」と、フロドは叫びました。

「おや！」と、バタバー氏はいいました。「それではあなた様の本当のお名前はバギンズで？」

「そうです。」と、フロドはいいました。「だからその手紙を早くこっちにください。そして、どうしてとうとう送ってくれなかったのか説明してほしいもんです。あなたはそれをわたしにいうためにいらしたんじゃないですか？　話が肝心なところにくるのにずいぶん時間がかかったけど。」

バタバー氏は気の毒にもすっかり困っていました。「おっしゃる通りでごぜえますよ、旦那様。」と、かれはいいました。「どうぞごかんべんくだせえまし。それに、もしこのわしのせいで困ったことになりましたら、ガンダルフになんといわれますやら、もうそれが心配で心配でなりませぬ。ですが、わしはわざとこれをしまいこんどいたわけじゃごぜえませんで。安全を期してしまったんで。その翌日、ホビット庄に行ってくれる者を探しましたが、一人も見つかりませんでした。その次の日も見つかりませんでした。この宿で働いている者を使いに出すわけにもめえりませんでしたので。それから次々いろいろなことがございまして、そのことはすっかり頭から脱《ぬ》けちまいました。なにしろ忙しい人間でございますもんでごぜえますで。事をおさめるためにはなんなりとできることをさせていただきます。それから、何かわしにお手伝いできることがごぜえましたら、ただおっしゃってくだせえまし。

「手紙のことは別としまして、わしはほかにもガンダルフと約束いたしました。『バーリマン、』と、あの方は申しました。『ホビット庄のこのわしの友達はだな、やがてこっちの方にやって来るかもしれぬ。その友達ともう一人連れがいる。かれは山の下と名乗るはずだから、それを忘れないでくれ！　だがお前さんは何もたずねるには及ばないよ。それから、もしわしが一緒でないとしたら、その男は難渋するかもしれぬ。そして助けを必要とするかもしれぬ。なんでもいいから、お前さんのできることをしてやってくれないか。そうしたら恩にきるよ。』と、あの方はいっておりました。そしてあなた様がお見えになったわけで、どうも難儀が間近に迫っているようでごぜえますな。」

「それはどういうことですか？」と、フロドはたずねました。

「黒いやつらのことでごぜえますよ。」亭主は声を落としていいました。「やつらはバギンズを探しておりますぞ。いいことで探してるんでしたら、わしがホビットになりかわっておみせしますよ。月曜日でした。犬という犬があわれな声で吠え立て、がちょうが騒ぎ立てました。なんとも薄気味悪い感じでごぜえました。ノブがわしのところにとんで来て申しますには、黒い男が二人玄関に来て、バギンズというホビットのことをたずねてるというこってした。ノブの髪の毛はみんな逆立っておりました。わしは黒いやつらに出て行けといってやりました。そしてドアをピシャリと閉めてやりました。だけどそいつらは、チェト村までずっと同じことをたずねて回ったようでごぜえます。それからあの野伏《のぶせ》の馳夫《はせお》もいろいろたずねておりました。あなた様に会わせろといってここにへえって来ようとしましたんで。あなた様がお食事をなさる前でごぜえました。ここへおしいって来ようとしましてな。」

「はいって来ようとしたとも！」突然そういうと、馳夫は明るいところに進み出て来ました。「あの時かれをはいらせれば、こんな厄介なことにはならなかっただろう、バーリマン。」

亭主はびっくりして跳び上がりました。「あんたか？」と、かれは叫びました。「しょっちゅうひょこひょこ出てくるお人だな。今度はなんの用かね？」

「この人はわたしがいいといったので、ここにいるんです。」と、フロドがいいました。「この人はわたしを助けてくれるというんです。」

「なるほど、あなた様はご自分のことはおわかりだと思いますが、」バタバー氏はうさん臭そうに馳夫の方を見ながらいいました。「わしがあなた様の立場でしたら、野伏の者とは親しくいたしませんね。」

「じゃ、あんたはだれと親しくするというのだね？」と、馳夫はたずねました。「一日中みんなから呼びたてられて、やっと自分の名前だけ憶《おぼ》えていられるような肥っちょの宿屋の亭主か？この人たちはいつまでも小馬亭に滞在しているわけにはいかないのだ。そうかといって郷里《くに》へ帰ることもできない。これからまだまだ長い道を行かなきゃならないのだ。あんたがこの人たちと一緒に行って、黒いやつらを近寄せないようにしてくれるかね？」

「わしが？　ブリー村を離れるだって！　どんなにお金を貰ったって、わしゃそんなことしませんとも。」バタバー氏は本当にぎょっとした様子でそういいました。「ですが、なぜあなた様はしばらくここにお忍びでお泊まりなさるわけにはいかないんでごぜえますか、山の下の旦那様？さきほどからおかしなことばかり続きますが、あれはなんでごぜえますか？　黒いやつらは何をほしがってるんで？　やつらはどこからめえりましたんで？　知りたいもんでごぜえますな。」

「すまないけど、全部説明してあげるわけにはいきません、」と、フロドは答えました。「わたしは疲れてるし、気がもめてしようがないから。それに長い話です。だけどあなたが本気でわたしを助けてくれるおつもりなら、ご注意申し上げるが、わたしがここに滞在している限り、あなたも危険なわけですよ。あの黒の乗手たちは、しかとは知らないが、わたしの考えでは、たぶん――」

「モルドールから来たのだ」馳夫《はせお》が低い声でいいました。「モルドールからだ、バーリマン、そういってあんたにわかるかどうか知らないが。」

「助けてくれ！」バタバー氏はまっさおになって叫びました。確かにかれはその名前を知っているようでした。「生まれてこの方、こんな恐ろしい話をブリー村で聞いたことは一度もねえ。」

「その通りです。」と、フロドはいいました。「それでもあなたは喜んでわたしを助けてくれるつもりですか？」

「そのつもりでごぜえます。」と、バタバー氏はいいました。「そうと聞きましたからにはなおさらでごぜえます。と申しましても、わしごとき者にいったい何ができるでしょうか？　歯向かうにも事欠いてあんな、あんな、あんな――」かれは口ごもりました。

「あんな恐ろしい、東の方の黒い影に、というのだねえ？」馳夫は静かにいいました。「たいしたことはしなくていいのだ、バーリマン。ちょっと助けてくれればいいのだ。山の下氏を今夜泊めて差し上げる。山の下氏としてだよ。それから、山の下氏がずっと遠くに行ってしまわれるまでは、バギンズの名を忘れてあげるのだ。」

「それはいたします。」と、バタバーはいいました。「しかしやつらはわしから何も聞かねえでも、この方がここにいらっしゃることを知ってしまうんじゃねえでしょうか。バキンズさんがみんなの注意を惹いてしまわれたことだけでも残念です。今晩のことだけじゃごぜえません。例のビルボさんがいなくなられたという話、あれもここまで伝わってきました。うちのノブでさえ、あののろい頭でああだこうだと考えてましたからな。ブリー村にはノブより血のめぐりの速い連中もいるこってすし。」

「しかたがない。この上は乗手たちがまだ戻って来ないことを願うだけだ。」と、フロドがいいました。

「本当にそうだとよろしいですが。」と、バタバーはいいました。「でも、化けものであろうとなかろうと、やつらをそうやすやすと小馬亭には入れませんぞ。朝まではどうぞご心配なく。ノブは何もいいやしません。わしが倒れねえで立ってる限り、黒いやつらは一人だってこの家の中に入れっこありません。わしと家の者たちとで今夜は夜番に立ちましょう。けれど、あなた様はお眠りになれるようでしたら、少しお休みになったほうがよろしゅうごぜえます。」

「どっちみち、夜が明けたらすぐ起こしてもらわなくちゃ。」と、フロドがいいました。「できるだけ早く出かけねばならないんです。六時半に朝食をお願いします。」

「かしこめえりました。ご注文通りに計らいます。」と、亭主はいいました。「お休みなせえまし、バギンズ様――いや、そうじゃない、山の下の旦那！　お休みなさいまし――おや！　お連れのブランディバック様はどちらへおいででございます？」

「わたしも知らないんですがね、」フロドはそういうと、急に心配になってきました。みんなはメリーのことをすっかり忘れていたのでした。それにだんだん夜もふけてきました。「外じゃないかなあ。外気を吸いに行くようなことをいってたから。」

「おやおや、あなた様のご一行は確かに監督がいりますですね。物見遊山にでもおいでになったようでござえますな！」と、バタバーはいいました。「さっそく戸締まりをして来なきゃなりませんが、お連れ様がお戻りになりましたら、おいれするように気をつけておきます。それよりノブを探しにやりましょう。それではみな様お休みなさいまし！」バタバー氏はやっと出て行きましたが、出しなにもう一度疑わしそうな目で馳夫《はせお》を見て、頭をふりました。かれの足音はだんだん廊下を遠ざかって行きました。

「それで？」と、馳夫はいいました。「あなたはいつその手紙を開かれるのかな？」フロドは手紙の封を切る前に、封印を注意深く見ました。それは確かにガンダルフのもののように思われました。中には、魔法使の勇勁《ゆうけい》で優美な筆蹟で、次のようなことが認《したた》められていました。

ブリー村、躍る小馬亭にて、
ホビット紀元一四一八年、年の中日

フロドどの、

今、わしの手許に悪い知らせが届いた。わしは、すぐ出かけなければならない。あなたも早々に袋小路を立ち退き、遅くとも七月末までにはホビット庄を出て行かれるようになさるがよい。わしもできるだけ早く戻って来るつもりだ。その時すでにあなたが立たれたあとであれば、すぐあとを追いかけることにする。ブリー村を通られるなら、この宿にわしあての伝言を残されよ。宿の亭主（バタバー）は信用してもよろしい。旅の途中で、わしの友人の一人に会われるかもしれぬ。かれは人間で、やせていて、色浅黒く、背が高い。馳夫と呼ばれることもある。かれはわれらの一件を知っており、あなたを助けてくれるだろう。裂《さ》け谷《だに》に向かわれよ。そこでの再会を期している。わしがいなければ、エルロンドが助言してくれるものと思う。

とり急ぎ

ガンダルフ

二伸、たとえいかなる理由があろうとも、二度とふたたび例のものを使わぬこと！　夜の旅は避けよ！

三伸、本物の馳夫であるかどうかを確かめること。旅の道では変な人物に出会うことが多いだろうから。かれの本名はアラゴルンという。

金はすべて光るとは限らぬ、
放浪する者すべてが、迷う者ではない。
年ふるも、強きは枯れぬ、
深き根に、霜は届かぬ。
灰の中から火はよみがえり、
影から光がさしいづるだろう。
折れた刃《やいば》は、新たに研がれ、
無冠の者が、また王となろう。

四伸、バタバーがこの手紙を即刻送り届けてくれるように願っている。立派な男だが、頭の中の雑然たることがらくた置場に等しい。頼まれたことをいつも忘れてしまうのだ。もしこれを忘れたら、火焙《ひあぶ》りにしてくれるつもり。

さらば

フロドは声を出さないで手紙を読み終えると、ピピンとサムにそれを回しました。「ほんとにバタバーおやじはとんでもないことをしてくれたものだ！」と、かれはいいました。「火焙りに

されてもしかたがないところだ。この手紙をすぐに受け取っていれば、今頃は裂《さ》け谷《だに》でのうのうとしておれたかもしれないのに。それにしても、ガンダルフはどうしたんだろう？　手紙の様子では、まるでたいへんな危地に乗り込むみたいだったけど。」

「かれはもう何年もそのことにかかっているのだ。」と、馳夫《はせお》はいいました。

フロドは顔をそちらに向け、ガンダルフの二つめの追伸を思い浮かべながら、注意深くかれを眺めました。「なぜあなたはガンダルフの友人だということをすぐにおっしゃらなかったのです？」と、かれはたずねました。「時間の節約になったでしょうに。」

「なっただろうか？　あなた方のうちのだれか一人でも、わたしのいうことを信じてくれただろうか？」と、馳夫はいいました。「わたしはこの手紙については何も知らなかった。あなた方を助けることになった以上は、おそらく身元を保証する物なしにわたしを信じてくれるようにあなた方を説得せねばならなかっただろう。いずれにせよ、わたしはいきなり自分自身のことをすっかりあなたに話して聞かせるつもりはなかったのだ。まずあなた方をよく観察し、確かにあなた方にまちがいないか確かめねばならなかった。われらの敵は今までに何度もわたしを罠《わな》にかけようとしたことがある。わたしは心を決めるとすぐ、あなたのたずねることに、それがなんであろうと喜んで答えることにした。だがこれだけは認めざるをえないが、」かれはおかしな笑い方をしてつけ加えました。「わたしは、あなた方がわたし自身のためにもわたしを好きになってくれることを望んだのだ。追われる者は時として不信の目に倦み疲れ、友情をせつに望むことがある。

しかしまあ、わたしは自分でも、わたしのこの人相風体ではだめだろうとは思うがね。」

「そうですね——ともかく最初見たときはそうですよ。」ピピンが笑いながらいいました。ガンダルフの手紙を読んで急にほっとしたのです。「だけど、ホビット庄でよくいうように、『みめより心』ですからね。それに、道端や溝の中に何日も横になれば、だれだって似たような様子になるんじゃないかな。」

「馳夫《はせお》のような様子になるには、何日どころか、何週間も、いや何年も荒野の旅を続けなければならないだろう。」と、かれは答えました。「それに、もしあなたがお見受けしたよりもっと頑強にできているのでなければ、たちまち死んでしまうだろう。」

ピピンはおとなしくなりました。しかしサムはおじけづきません。かれは今でもまだ疑わしそうな顔で馳夫をじろじろ眺めていました。「お前さんがガンダルフのいう馳夫だということがどうしておらたちにわかるかね?」と、かれはたずねました。「この手紙が現われるまで、お前さんは一度だってガンダルフのことを口にしなかった。もしかしたら、お前さんは間者《かんじゃ》が化けてるのかもしれねえ。ほんとの馳夫をばらしてしまって、着てた物を取っちまったのかもしれねえ。これにはなんと答えるかね?」

「あんたはなかなか頑強なやつだと答えるね。」と、馳夫はいいました。「だが、サム・ギャムジーよ、わたしはあんたにこう答えるほかはない。もしわたしが本物の馳夫を殺したというのであれば、わたしはあんたを殺すことだってできる。そしてわたしは、こんな余計なおしゃべりなどはせず、もうとっくにあんたを殺してしまっただろう。もし、わたしが指輪を狙っているのであれば、それを取ることだってできる――そら！」

かれは立ち上がりました。その姿は突然前にも増して背が高くなったように見えました。その目には非常に鋭く犯しがたい光が湛えられました。かれはマントの前をさっと開き、今まで人目に触れずに脇に下げられていた剣の柄《つか》に手をやりました。ホビットたちはだれも動こうとはしませんでした。サムはじっとかれに目をあてたまま物もいえず、ただ口をぽかんと開けてすわっていました。

「だが、幸いにしてわたしが本物の馳夫だよ。」ホビットたちをじっと見おろしながらかれはいいました。その顔は不意に浮かんだ微笑にやわらぎました。「わたしはアラソルンの子、アラゴルンだ。そしてわたしは、命にかけてあなた方を助けることができる。助けて差し上げよう。」

長い沈黙が続きました。ようやくフロドがためらいながら口を利《き》きました。「わたしはあの手紙がとどかないうちから、あなたを味方だと信じました。少なくともそう信じたいと思っていました。今夜あなたは何度もわたしを怖がらせました。しかしそれは、われらの敵に仕える者たちのやり方とはけっして似ていません。あるいは似ていないだろうと思うのです。かの者の間者の一人であるならば――そうですね、見かけはもっとよく、感じはもっと悪いだろうと思うのです。おわかりでしょうか。」

「わかります。」馳夫《はせお》は声をあげて笑いました。「わたしは見かけは悪く、感じはよいということですな？『金はすべて光るとは限らぬ、放浪する者すべてが迷える者ではない。』とな。」

「それではあの詩はあなたのことをいったものですか？」と、フロドがたずねました。「あの詩が何をいってるのか判じかねていたのです。しかし、あなたはまたどうして、一度も手紙を見てられないのに、あの詩がガンダルフの手紙の中にあることがおわかりになったのですか？」

「わたしは知らなかった、」と、かれは答えました。「しかしわたしはアラゴルンだ。そしてあの詩はこの名前に付随してるものなのだ。」かれは剣《つるぎ》を抜いてみせました。なるほど刃は柄の上一フィートぐらいのところで折れていました。「たいして役には立たぬな、サム？」と、馳夫はいいました。「しかし、この剣を新たに鍛え直すときももう間近に迫った。」

サムは何もいいませんでした。

「それでは、」と、馳夫はいいました。「サムの許しをえて、これで話がついたということにしよう。馳夫があなた方の道案内をつとめます。明日は難儀な旅になりますぞ。たとえ邪魔をされないで、ブリー村を出ることができたとしても、気づかれないで行くことは今となってはほとんど望めないことだ。しかしできるだけ早く跡をくらますようにやってみますよ。わたしは街道のほかにもブリー郷《ごう》から出る道を一つか二つ知っている。ひとたび追手をふり切ってしまったら、風見が丘に向かうことにしよう。」

「風見が丘だと？」と、サムはいいました。「それはなんだね？」

「街道真北にあたる丘だ。ここから裂け谷《さだに》までのまん中あたりになる。そこからなら遠く十方が見晴らせるから、われわれも周りを見張ることができるだろう。もしガンダルフがわれわれの後を追って来るようなら、かれもそこの頂を目指すだろう。風見が丘をすぎると旅はいっそう困難となり、われわれはさまざまな危険の中からどれかを選ばなければならないことになろう。」

「あなたが最後にガンダルフに会われたのはいつですか？」と、フロドがたずねました。「あなたは、ガンダルフがどこにいるのか、あるいは何をしているのかご存知なのですか？」

馳夫は顔色を改めました。「わたしは知らない。」と、かれはいいました。「わたしはこの春かれと一緒に西へやって来た。わたしはここ数年、かれがほかで忙しいときには、ホビット庄の庄境《ざかい》の見張りをしばしば勤めてきた。かれはめったにそこを見張りなしで放っておきはしなかった。わたしが最後にかれに会ったのは五月一日、ブランディワイン川の川下、サルンの浅瀬だった。かれはあなたとの用件がうまく片づき、あなたが九月の最後の週に裂け谷に向かって立つことになるだろうと話してくれた。わたしはあなたにはかれがついていることを知っていたので、自分のことで遠く旅にでた。それが結局まずいことになった。なぜなら、明らかに何か悪い知らせがかれのところに届いたようなのだが、わたしはすぐそばにいてかれを助けることができなかったからだ。

「わたしは心配だ。こんなことはかれと知り合ってはじめてのことだ。たとえ自分ではやって来られなくても、かれは当然伝言を寄越すはずだ。もう何日も前のことだが、わたしは旅から戻って来ると、悪い知らせを耳にした。ガンダルフの行方がわからず、馬に乗った者たちの姿が見られたという噂《うわさ》が遠くまた広く伝わってきたのだ。このことをわたしに教えてくれたのはギルドールの身内のエルフたちだった。そしてそのあとわたしはかれらからあなたがすでに故郷をあとにされたことを聞いた。しかしあなたがバック郷《ごう》を立たれたという知らせはどこからも耳にはいらなかった。わたしはそれ以来ずっとやきもきして東街道を見張っていたのだ。」

「あなたは黒の乗手たちがそのことに――つまりガンダルフが姿を見せないということに、何か関係しているとお考えですか?」と、フロドはたずねました。

「ほかにかれの邪魔ができる者をわたしは知らない。われらの敵は別として。」と、馳夫《はせお》はいいました。「しかし望みを捨てなさるな! ガンダルフはあなた方ホビット庄の者たちが知るよりずっと偉大なのだ――ふつうあなた方が目にするかれの仕事はかれにとってはほんの遊びであり、手すさびにすぎないのだ。しかしこんどのわたしたちの仕事は、かれにとっても最大の仕事となるだろう。」

ピピンがあくびをしました。「どうも失礼」と、かれはいいました。「でも、ぼくはくたくたにくたびれてしまったんです。たとえどんな危険があろうと、どんな心配事があろうと、ぼくは寝に行かなくちゃ。それでなきゃ、ここですわったまま寝ちゃいます。あのメリーのおばかさんはどこに行ったんだろう? これであいつを探しに外の暗闇に出て行かなくちゃならないとしたら、もうがっくりきちゃうよ。」

ちょうどその時、かれらはドアがピシャリと閉まるのを聞きました。それから廊下を走って来る足音が聞こえました。メリーがノブにつき添われて走り込んで来ました。かれは大急ぎでドアを閉めるとそれにもたれかかりました。かれは息を切らしていました。一同が驚いてかれを見つめていると、しばらくしてかれはやっとあえぎあえぎ口を利《き》きました。「ぼくは見たんですよ、フロド！　ぼくはやつらを見たんです！　黒の乗手たちを！」

「黒の乗手たちをだって！」と、フロドは叫びました。「どこでだ？」

「ここです。村の中でですよ。ぼくは一時間ほど部屋の中にいたんです。それから、あなたたちが帰って来ないので、ちょっと散歩に出たんです。そしてまた戻って来て、外のランプの明かりの輪のすぐ外側に立って、星を眺めていたのです。突然ぼくはぞくぞくっとして、何か恐ろしいものが忍び寄って来るのを感じたのです。道の向こう側の、ランプの明かりの輪をちょっとはずれたところの暗い陰に、一きわ黒っぽいものがありました。それはすぐに音もなく暗闇の中に逃げ去りました。馬はいなかった。」

「どっちへ行った？」鋭い口調で不意に馳夫はたずねました。

メリーははじめて知らない人がいるのに気づいてびくっとしました。「続けてくれ！」と、フロドがいいました。「この人はガンダルフの友達だ。あとから説明してあげるよ。」

「街道を東の方に向かって逃げて行ったようでした。」と、メリーは言葉を続けました。「ぼくはあとを追おうとしたんです。もちろんそれはあっという間に見えなくなったんですけどね。でもぼくは角を曲がって、街道沿いの最後の家のあるところまで行ったんです。」

馳夫《はせお》は驚き感心してメリーの顔を見ました。「あんたは勇気のある方だ。」と、かれはいいました。「だが、ばかなことをされたな。」

「ぼくにはわかりません。」と、メリーはいいました。「別に勇気があるとも思いませんし、ばかなことをしたとも思いません。ぼくはただどうしてもそうせずにはいられなかったのです。なんだか引っ張られるような感じでした。ともかく、そうやって行ってみると、突然あの生け垣のあたりで声がしたんです。一人は何かぐずぐずいっていました。もう一人は囁《ささや》き声というか、しゅうしゅうとおどかすような声で話していました。ぼくには言葉は一つも聞き取れませんでした。ぼくはもうそれ以上近くには寄って行かなかったんです。なにしろ体中ががくがくふるえ出してきたんですから。それからぼくはとても恐ろしくなって、そちらに背を向け、一目散に駆け出そうとしたちょうどその時、何かがぼくの後ろに忍び寄り、ぼくは……ぼくは倒れてしまったんです。」

「あっしがこの方を見つけましただ。」と、ノブが口をはさみました。「バタバーの旦那があっしにランターンを持たせて外を見に行かせましたんで。あっしは西の門まで行ってみました。それから南の門の方に向かって戻って来ました。ちょうどしだ家のビルのすぐそばで、あっしは道に何かが見えたように思いましただ。はっきりそうとはいえねえけんど、なんだか男が二人何かの上に屈《かが》み込んで、それを持ち上げてるように見えました。あっしは大声でどなりました。だけんど、その場所に近づくと、男たちの姿は影も形もなくて、ただブランディバックの旦那が道端に横になってられるだけでしただ。眠ってるみたいでした。『ぼくは深い水の中に落っこちたのかと思った。』あっしがゆすぶると、この方はそういわれました。とても様子が変でしただ。そしてあっしがこの方をゆり起こしたら、立ち上がって、まるで兎《うさぎ》みたいにここまで走って来られたんで。」

「今の話の通りだと思いますよ。」と、メリーはいいました。「もっともぼくは自分が何をいったかは知らないんだけど。ぼくはいやな夢を見たんです。どんな夢だか覚えていませんがね。ぼくはへたへたと力が抜けてしまったんです。ぼくは自分に何が起こったのかわかりません。」

「わたしにはわかる。」と、馳夫がいいました。「それは黒の息だ。乗手たちは馬を外に置いて、南門を通ってひそかに戻って来たに違いない。やつらはもう、今晩の出来事をすっかり知ってしまっただろう。なぜならかれらは、しだ家のビルを訪ねたからだ。南から来たあの男ももしかしたら間者《かんじゃ》かもしれない。われわれがブリー村を離れるまでに、今夜のうちにも何かが起こるかもしれぬ。」

「どんなことが起こるのでしょう？」と、メリーがいいました。「やつらはこの宿屋を襲うでしょうか？」

「いいや、わたしはそうは思わない。」と、馳夫はいいました。「かれらはまだ全員ここには来ていないから。それにいずれにせよ、そんなことはかれらのとるやり方ではないのだ。暗い淋しいところでかれらはもっともその力を発揮する。かれらは明かりのたくさんともった、人の多い家を公然と襲うことはしない――少なくともほかにどうしようもなくて自暴自棄になるまでは。そしてわれわれの前にエリアドールの長い道程がまだまだある間は。しかしかれらの力はおそるべきものだ。ブリー村にはもうすでにかれらの手中に握られた者も何人かいる。かれらは、そんな人でなしどもを追い立てて何か悪いことをさせるだろう。ビルと、よそ者たち数人、それに多分門番のやつもそうだろう。かれらは月曜日に西門でハリーと話していたから。わたしはその様子を見ていた。かれらがいなくなると、ハリーはまっさおになってがたがたふるえていた。」

「わたしたちは周り中に敵をかかえてるみたいですね。」と、フロドがいいました。「どうしたらいいでしょう？」

「ずっとこの部屋にいなさい。寝室に行ってはいけない！　きっとかれらはあなたがたの寝室がどこにあるか見つけてしまっただろうから。ホビット用の部屋の窓は北に面していて、地面から離れていない。われわれはみんな一緒にここにとどまって、この窓とドアに閂《かんぬき》をさしておこう。しかしその前にノブとわたしとで、あなた方の荷物を取って来てあげよう。」

駆夫《はせお》がいない間に、フロドは大急ぎで、夕食のあと起こったことをすっかりメリーに話して聞かせました。駆夫とノブが戻って来た時には、メリーはまだガンダルフの手紙を読みながら考え込んでいました。

「さあ、お客さん」と、ノブはいいました。「あっしはかけぶとんをくしゃくしゃにして、それから、ベッドのまん中あたりに長い枕を入れときましただ。それから茶色の毛糸のマットでうまいことお客さんの頭に似たものをこさえときました。バギー――いや山の下の旦那。」かれはにっと笑ってそうつけ足しました。

ピピンは声をあげて笑いました。「本物そっくりというわけだね！」と、かれはいいました。「だけど本物でないっていうことを向こうが見破ったら、どういうことになるだろう？」

「そのうちわかるだろう。」と、馳夫がいいました。「どうか朝までこの砦《とりで》が持ちこたえられるように願うとしよう。」

「みなさん、お休みなさいまし。」ノブはそういうと、自分の受け持つ戸口を見張るために出て行きました。

かれらは荷物の袋や装備一式を部屋の床に積み上げました。低い椅子を一つドアに押しつけて置き、窓を閉めました。窓から外を覗《のぞ》いたフロドは、夜空が澄みわたっているのを見ました。鎌座（大熊座をホビットはこういう）の星々がブリー山の肩の上にきらきらと輝いていました。かれはそれから窓を閉め、重い内側の鎧戸《よろいど》を閉め、閂をさし、それからカーテンを引きました。馳夫は、煖炉の火を起こし、蠟燭《ろうそく》を全部吹き消しました。

ホビットたちは煖炉に足を向け、銘々の毛布の上に横になりました。馳夫はドアに寄せた椅子に腰を下ろしました。かれらはそれからもしばらくしゃべっていました。メリーがまだ幾つかたずねたいことがあったからです。

「月を跳び越えた！」メリーは毛布にくるまりながらクスクス笑いました。「ずいぶんとんでもないことをしたもんですね、フロド！　でも、ぼくもそこにいて見てたかったなあ。ブリー村のお歴々たちはこれから百年ぐらいそのことを話の種にしますよ。」

「そうだといいが。」と、馳夫《はせお》はいいました。それからみんなは黙ってしまい、ホビットたちは一人また一人と寝入っていきました。

十一　闇夜の短剣

　ブリー村の宿でフロドたちが寝る支度をしている頃、バック郷《ごう》はとっぷりと暗闇に包まれていました。小さな谷や川の堤には靄《もや》がたなびいていました。堀窪《ほりくぼ》のフロドの家はひっそりと立っていました。でぶちゃんボルジャーは恐る恐るドアを開け、そっと外を覗《のぞ》きました。その日は朝から恐怖感がだんだん募ってきて、かれは休むことも眠ることもできないでいたのです。風一つない夜の空気は今にも何かが起こりそうな感じをはらんでいました。かれが暗がりに目をこらしていると、黒い影が一つ、木陰から木陰へと動いていきました。門がひとりでに開き、ふたたび音もなく閉まるように思われました。恐怖がかれをとらえました。かれは後ずさりし、しばらくふるえながら玄関ホールに立っていました。それからかれはドアを閉め、鍵《かぎ》をかけました。

　夜はふけていきました。忍びやかな足音が、次いでひそやかな馬の蹄《ひづめ》の音が小道を伝ってきました。門の外で音は絶え、まるで夜の陰が地をはうように黒い人影が三つ、中にはいって来ました。影の一つは戸口に、あとの二つは家の両角《かど》に向かいました。かれらはそこにまるで石の影のように身動きもせず立っていました。夜はその間にも少しずつ深まってゆきました。家と静かに立つ木立ちは息をひそめて待っているように思われました。

木の葉がかすかにそよと揺れ、遠くで一番鶏の鳴く声がしました。夜明け前の冷えこむ時間がたっていきます。戸口のわきの人影が動きました。月明かりも星影もない暗闇に抜身の刃がきらりと光りました。まるで一筋の冷たい光が不意に覆いをとられて現われ出たかのようでした。かすかな、しかし同時に重苦しい一陣の風が起こり、ドアがふるえました。

「開けろ、モルドールの名にかけて！」細い脅《おびや》かすような声がいいました。

もう一度風が起こり、ドアのはめ板が折れ、鍵がこわれ、さっと内側に開きました。黒い影たちは、すばやく、中にはいって行きました。

その時、近くの木立ちから角笛《つのぶえ》が響き渡りました。それは山頂の火のように夜空をつんざきました。


おきろ！　事故だ！　火事だ！　敵だ！　おきろ！

でぶちゃんボルジャーはぼやぼやしてはいなかったのです。かれは黒いものが庭の方から忍び寄って来るのを見るやいなや、今逃げ出さないと、身の破滅になることを知りました。そこでかれは走りに走りました。裏口から飛び出し、庭を通り抜け、畠をどんどん走りました。一マイル以上離れたところにある一番近い家に着くと、かれはドアの前の石段にへたへたと崩おれました。

「違う、違う、違う！」と、かれは叫びました。「違う、ぼくじゃない！ ぼくは持っていない！」かれが何を口走ってるのかみんなにわかるまでしばらく時間がかかりました。ようやくみんなにはバック郷《ごう》に敵がはいり込んだらしいということ、古森《ふるもり》から何かふしぎなものが侵入したらしいことがわかりました。そうとわかるとみんなはもうぐずぐずしてはいませんでした。

事故だ！ 火事だ！ 敵だ！

ブランディバック屋敷では、バック郷の非常用角笛を吹き鳴らしました。これが鳴り響いたのは、ブランディワイン川が氷結したあの凶年の冬、白狼たちが来襲した時以来、およそ百年ぶりのことでした。

おきろ！ おきろ！

はるかかなたからこれに答える角笛がいくつも聞こえてきました。急を知らせる角笛の音はこうして広がっていきました。黒い影たちは家から逃げ出しました。その中の一人は逃げる途中、ホビットのマントを一つ石段の上に落として行きました。小道に馬の蹄《ひづめ》の音がにわかに起こったかと思うと、それは次第に疾駆に移り、闇の中に蹄の音を響かせて遠ざかって行きました。堀窪《ほりくぼ》のあたり一帯に、ここかしこで吹き鳴らされる角笛《つのぶえ》の音、呼び交わす声、走り回る足音が聞かれました。しかし黒の乗手たちは疾風のように北門指して駆けて行きました。小さいやつらには好きなだけ吹かせておけ！　やつらのことはあとでサウロン様がちゃんと始末をおつけになるだろう。それはそうとして、かれらにはまだ用事がありました。家がからっぽで、指輪はそこにはないことをかれらはすでに知ったのです。かれらは北門の番人たちを馬で踏み倒し、ホビット庄から姿を消しました。

夜が更けて間もなく、フロドは深い眠りから不意に目覚めました。まるで何かの物音か気配がかれの眠りを乱したような気がしたのです。かれは馳夫《はせお》がぬかりなく椅子に掛けているのを見ました。絶えず火の番をされているおかげで赤々と燃えている煖炉の明かりを受けて、かれの目はきらきら光っていました。しかしかれはなんの合図もせず、身動き一つしませんでした。

フロドはすぐにふたたび寝入ってしまいました。しかしかれはまたもや風の音と疾駆する蹄《ひづめ》の音とに夢を乱されました。風が家の周りをぐるぐると渦巻くように吹き、家を揺すぶっているようでした。そしてかれは遠くで角笛がけたたましく吹き鳴らされるのを聞きました。かれは目を開きました。宿の中庭から鶏が元気よく刻《とき》を作るのが聞こえてきました。馳夫はカーテンを引き、鎧戸《よろいど》をガタガタと押し開きました。明け初《そ》めたばかりの白々とした光が部屋に射し込み、開いた窓から冷たい空気が流れこみました。

馳夫はみんなを起こすとすぐに先に立って、一同を寝室に連れて行きました。自分たちが休むはずだった部屋を見て、かれらは馳夫の忠告に従ったことを喜びました。無理矢理こじ開けられた窓は風に揺れ動き、カーテンがパタパタとはためいていました。ベッドはひっくり返され、長い枕はめった切りにされて床に投げ出されていました。茶色のマットはずたずたに破かれていました。

馳夫はすぐに宿の亭主を呼びに行きました。気の毒に、バタバー氏は眠そうな上にすっかり怯えた様子をしていました。かれは一晩ほとんど一睡もしなかった（という）のですが、物音一つ聞かなかったのです。

「わしの代《だい》になって、こんなことが起こったことは一度だってありませんでしたぞ！」かれは恐ろしさのあまり両手を上げて叫びました。「お客様方がご自分のベッドでお休みになれねえ。その上、上等の枕はめちゃめちゃ！　わしらはどういうことになるんだろう？」

「暗い時代にはいっていくのだ。」と、馳夫はいいました。「だが、わたしたちさえここから出てしまえば、お前さん方はここしばらくは安穏にやっていけるかもしれぬ。われわれは今すぐここを出る。朝食は心配しないでくれ。立ったまま何か一口食べて飲んでいくだけでけっこうだ。荷物は二、三分で詰めてしまうから。」

バタバー氏は小馬の支度ができているかどうかを見るためと、「何か一口食べる」ものを取りに行くために急いで出て行きました。しかしかれはすぐにあわてふためいて戻って来ました。小馬が全部消えうせたのです！　厩《うまや》の戸が夜の間にすっかり開け放たれ、馬たちはいなくなっていたのです。メリーの小馬たちだけではなく、厩にいた馬という馬、家畜という家畜はすべていなくなっていたのです。

フロドはその知らせを聞いて、すっかり打ちのめされてしまいました。馬上の敵に追われながら徒歩《かち》で裂《さ》け谷《だに》に辿《たど》り着くことは、到底望めないことではないでしょうか？　月に向かって旅立つのも同然です。馳夫《はせお》はしばらく黙ってすわったまま、ホビットたちにじっと目をそそいでいました。まるでかれらの力と勇気をはかりにかけて調べているようでした。

「小馬では、馬に乗った者たちから逃げる役には立たないさ。」かれは、まるでフロドの心の底をいいあてるかのように、考え込みながらやっとそういいました。「歩いたところでたいして遅くはならないよ。わたしが行くつもりの道ならそう変わらないな。わたしはどっちみち歩くつもりでいた。厄介なのは食糧とほかの備品だ。ここから裂け谷までの間、持参して行くもののほかは、食べる物は何も手に入らないと思わなければならない。それに予備の食糧も十分に持って行かなければならない。なぜなら道がはかどらないこともあるだろうし、やむをえず遠回りをしたり、まっすぐの道からずっとはずれなければならないこともあるかもしれないからだ。あなた方は背中にどのくらい背負う覚悟があるかな？」

「背負わなければならないだけ背負います。」ピピンはがっかりしながらも、自分が見かけよりも（あるいは自分で感じているよりも）強いのだというところを見せようとしながら、そういいました。

「おらは二人分運べますだ。」サムがいどむようにいいました。

「どうにかなりませんかね、バタバーさん？」と、フロドがたずねました。「村で小馬が二、三頭手にはいらないだろうか？　それとも荷物用に一頭だけでもいいんだけど？　賃借りすることはできないだろうと思うけど、買うのだったら大丈夫かもしれない。」かれはそれだけのお金があるかどうか危ぶみながら、たよりない口ぶりでそうつけ加えました。

「だめだと思いますよ。」亭主は悲しそうにいいました。「ブリー村には人を乗せる小馬は二、三頭しかおりません。そしてそれはみんなわしのところの厩におったのでごぜえます。それがみんないなくなってしめえました。ほかの動物はといいますと、荷車用やなんかの馬や小馬は、ブリー村ではとても数が少ないのでして、とても売ったりはいたしませんです。ですが、できるだけのことはやってみましょう。ひとつボブをたたき起こして、できるだけ早く聞いて回らせましょう。」

「そうだね、」馳夫は渋々ながらいいました。「そうしてもらったほうがいいだろう。少なくとも小馬一頭は手に入れなければならないのではないかな。だが、これで、朝早く、そっと脱け出すという望みもすっかりだめになった！　これじゃまるで角笛《つのぶえ》を吹き鳴らして出発を告げ知らせるようなもんだ。むろんそれもかれらの計画に編み込まれているのだ。」

「少しは慰めになることが一つある、」と、メリーがいいました。「少しどころじゃないかもしれないよ。待ってる間、朝御飯が食べられるってことさ――それもすわってね。さあ、ノブをつかまえるとしよう！」

結局出発は三時間以上遅れてしまいました。ボブが帰って来て報告するには、この近在ではお金であるいは好意で譲ってもらえそうな馬と小馬はまるでいないということでした。ただし一頭だけいるにはいました。しだ家のビルの持ちもので、たぶん売るかもしれないというのです。「飢え死にしかけているあわれなおいぼれ馬でごぜえますだ。」と、ボブはいいました。「だが、あのビルのこってす。あいつはこちら様が困ってらっしゃるのにつけこんで、あの馬の値打ちの三倍以下じゃ手放しゃしませんよ。」

「しだ家のビルだって？」と、フロドはいいました。「何か罠《わな》があるのじゃないだろうか？　その馬はわたしたちの荷物を全部持ってあいつのところに逃げ戻るんじゃないだろうか？　それともわたしたちの跡をつける手伝いをするとか、それとも何か？」

「さあ、どうだろう。」と、馳夫《はせお》はいいました。「だが、どんな動物だろうと、一度あの男のところから出て行ったら、またあいつのところにまい戻って行くとは考えられない。これはご親切なしだ旦那があとから思いついたことにすぎないんじゃないかな。この一件から手に入れる儲けをさらにふやそうというだけのことだ。一番気にかかるのは、そのあわれな小馬がたぶん死の瀬戸ぎわにおりはしまいかということだ。しかし外《ほか》にしかたがないようだ。あいつはいくら欲しいといってるのかね？」

しだ家のビルのいい値は銀貨十二枚でした。そしてそれは確かにそのあたりでの小馬の値段の少なくとも三倍はする値段でした。連れて来られた小馬をみると、かいばもろくろく与えられていない、元気のない動物でしたが、今すぐ死にそうというわけでもないようでした。小馬の代価はバタバー氏が自分で払ってくれました。かれはさらに銀十八枚をいなくなった小馬たちの弁償の一部にとメリーに支払ってくれました。かれは正直な人物でした。そしてブリー村では富裕な人とされていました。しかし銀貨三十枚といえば、かれにとっても手痛い打撃でした。それにしだ家のビルにふっかけられたということが、それをいっそう堪えがたいものにしたのです。

しかし、結局かれは実際には損をせずにすんだのです。あとになってみると本当に盗まれた馬は一頭だけだということがわかりました。他《ほか》のはただ追い払われたか、それとも恐ろしさのあまり逃げ出しただけのことでした。そしてこのけものたちはブリー郷《ごう》のあちこちをさ迷っているところを見つけ出されました。メリーの小馬たちも全部逃げ去りましたが、結局（たいへん分別のあることに）でぶのずんぐりやを探して、塚山丘陵に向かったのです。そこでかれらはしばらくの間トム・ボンバディルの世話になり、ぬくぬくと暮らしました。しかし、ブリー村の出来事がトムの耳に聞こえてくると、かれは小馬たちをバタバー氏に送り返しました。こういうわけでバタバー氏は、五頭の上等の小馬を割安の値段で手に入れることができたのです。小馬たちはブリー村に来てから今までよりも一生懸命働かねばなりませんでしたが、ボブがとてもよく面倒をみてくれましたので、まあまあ幸せだったといえましょう。というのは暗い危険な旅をしないですんだんですから。しかし裂け谷《さけだに》にはとうとう行かないで終わりました。

しかし、その当座は、バタバー氏としては自分のお金はおそらく永久に失われてしまっただろうと思うほかはありませんでした。それにかれには別の心配もありました。というのは、他のお客たちが起きてきて、宿屋が襲われたことを聞くと、たちまち大騒ぎが持ち上がったからです。南から来た旅人たちも馬を何頭かなくしてしまったので、声高に亭主を非難しましたが、やがて、自分たちの旅仲間の一人が夜中に姿を消したことがわかってきました。それはビルの仲間である例のいやな目つきの男にほかなりませんでした。そこでたちまちかれに嫌疑がかかりました。

「お前さん方が馬泥棒と知り合いになって、わしんとこに連れて来たんなら、」と、バタバーはかんかんになっていいました。「こちらにどなりつける代わりに、お前さん方こそわしどもの損害をすっかり弁償してほしいもんだ。しだ家のビルんとこに行って、お前さん方のごりっぱな友達がどこにいるのか聞いておくれ！」しかしかれはだれの友達でもなさそうでした。そして、かれがいつ一行に加わったのかも、だれにも思い出せませんでした。

朝食がすむと、ホビットたちは荷造りをやり直し、今まで考えていた以上に長いものになりそうな旅に備えて、さらに食糧の足し前を受けて、それを一つにまとめました。一同がいよいよ出かけようとした時には時間はもう十時近くになっていました。その頃には、ブリー村中が蜂の巣を突っついたような騒ぎになっていました。フロドの姿を消す芸当、黒い乗手たちの出現、厩《うまや》の盗難、そしてそれらにもまして、野伏《のぶせ》の馳夫《はせお》が得体のしれないホビットたちの一行に加わったという情報が、平穏無事な生活の中では何年何十年と語り継がれてゆきそうな噂《うわさ》になっておりました。ブリー村と元村の住民の大部分のほかに、小谷村とチェト村の村人たちまでがたくさん加わって、沿道は旅人たちの出発を見ようとする人々でごった返しました。小馬亭のほかの宿泊客たちは戸口に立ったり、窓から体を乗り出したりして見物していました。

馳夫は考えを変えて、ブリー郷《ごう》を出るまでは街道を通ることにしました。すぐに街道からはずれて、野山を横断しようとすれば、いっそう事態を悪くするだけだったからです。住民の半数は一行の後について来て、かれらがどうするつもりなのか見届けようとするでしょうし、道の外の自分たちの土地にはいりこむことを許さないでしょうから。

かれらは、ノブとボブに別れを告げ、バタバー氏にいろいろ礼を述べて暇《いとま》ごいをしました。「いつかもう一度笑って楽しめる世の中になったら、またお会いできるといいと思います。」と、フロドがいいました。「あなたのところに安心してしばらく滞在できたら、これほど望ましいことはないんですがね。」

一行は群衆の見守る中を心配に心も沈みがちになり、重い足を踏みしめながら歩き出しました。沿道に見受ける顔のすべてが好意的というわけではありません。また口々にどなる言葉のすべてが親切な言葉というわけではありません。しかし馳夫は大多数の郷人《さとびと》たちから恐れられているようでした。かれにじっと目を向けられた者たちは口を閉じ、遠のきました。かれはフロドと先頭に立ちました。次にメリーとピピンが続き、最後にサムが小馬を連れて従いました。小馬は、一同がこれならそうつらくもなかろうと思う程度の荷物を積んでいましたが、まるで自分の身の上の変化を是認するかのように、今までほどあわれな様子はしていませんでした。サムは物思いに耽りながらりんごを齧《かじ》っていました。かれはポケットにりんごをたくさん入れていたのです。ノブとボブから餞別に貰ったものでした。「歩く時にはりんご、腰を下ろす時にはパイプ。」と、かれはいいました。「だが間もなくどっちにも不自由することになるだろうよ。」

ホビットたちは、戸口からそっと覗《のぞ》いたり、塀や垣根越しにひょいと顔を出してかれらが通るのを見ようとする物見高い連中には、全然注意を払わず歩いて行きました。しかし、村はずれの門に近づいた時、フロドは茂った生け垣の後ろに暗い荒れた家があるのを目にとめました。この村の一番はずれにある家です。その家の窓の一つにこすからい、いやな目つきの血色の悪い顔が覗いているのをフロドはちらと目にしましたが、それはすぐに消えうせてしまいました。

「そうか、ここがあの南から来た男が隠れているところなのか！」と、かれは思いました。「あいつは人間というより半分以上ゴブリンみたいだな。」

生け垣越しにまた別の男が一人、厚かましくじろじろ一行を見つめていました。かれはもじゃもじゃの黒い眉毛と、人を小馬鹿にしたような黒っぽい目の持ち主で、大きな口はせせら笑いに歪んでいました。かれは短い黒いパイプで煙草を吸っていました。一同が近づくと、かれは口からパイプを離し、ペッと唾を吐きました。

「お早うさん、長すね彦！」と、かれはいいました。「お早いお立ちだね？　とうとうお友達をお見つけかい？」馳夫《はせお》はうなずいただけで、答えませんでした。

「お早うさん、お小せえみなさん！」かれはあとの三人にいいました。「だれを一緒に連れてくのかご存知なんだろうね？　どこにも落ち着く場所のない馳夫だよ！　もっともおれはほかにももっといろいろそれほどけっこうでない名前も聞いてるがね。今夜は気をつけるがいいぜ！　それからおめえ、サミーよ、おれのかわいそうなおいぼれ小馬をひどい目に会わすなよ！　ペッ！」かれはまた唾を吐きました。

サムはきっと向き直りました。「それからおめえ、しだのだによ、」と、かれはいいました。「お前のみっともねえ面《つら》をひっこめろ、でないと怪我するぞ。」稲妻のように速く、突然ピューンとりんごが一つかれの手を離れて、ビルの鼻柱にまともにぶつかりました。かれは顔をひっこめたものの間に合わず、生け垣の裏から罵声を浴びせかけました。「うまいりんごを一つ無駄にした。」サムは惜しそうにそういうと、すたすたと歩き続けました。

一同はとうとう村をあとにしました。あとをついてきた子供たちや野次馬たちもはや倦きてしまって、南門でひき返してしまいました。一行は、南門を通り過ぎてからも何マイルかの間は、そのまま街道を歩き続けました。道は左に折れていましたが、ブリー山の麓《ふもと》にそって曲がるにつれ、もとの東向きに戻って行って、今度は急に下りとなり、森林地帯にはいって行きました。左手には西側よりなだらかなブリー山の南東の斜面に面して元村があり、そこにはふつうの家やホビットの穴が見られました。街道を北にはずれた深い窪地から何本も煙が立ち昇るのが見え、小谷村のあることを示していました。アーチェト村はその先の木立ちの中に隠れていました。

道が下りになってしばらくして、あとにしたブリー山がみんなの後ろに高く茶色く聳《そび》え立っているのが見える頃になると、一同は街道を北にそれる狭い小道に出ました。「ここでわれわれは開けた道を離れ、身を隠す物のあるところにはいって行くのだ。」と、馳夫《はせお》はいいました。

「『近道』じゃないでしょうね。」と、ピピンがいいました。「ぼくたちがこの間森を通って近道した時には、もう少しで大惨事になるところでしたよ。」

「ほう、だがその時はあなた方はわたしを一緒に連れてなかったからね。」馳夫は笑いながらいいました。「わたしのは、近道だろうと遠道だろうとまずくいくことはない。」かれは街道の前後に目をくばりました。視界には人影がありませんでした。かれは先に立って、木の茂った谷間に向かって急いで降りて行きました。

ホビットたちはこの土地のことは知らないのですが、それでもどうやらわかる限りでは、馳夫の考えは、まずアーチェト村の方に向かい、ただいくらか右寄りに進んで、アーチェト村の東はずれを通り、それからあとは風見が丘まで荒れ地を越えてできるだけ真っ直進んで行くことにあるようでした。この進路を取ると、万事うまく行きさえすれば、少し先で、ぶよ水の沢地を避けて大きく南方に湾曲している街道にくらべてかなり近道になります。むろんその代わり、その沢地を通らなければならないことになります。それに馳夫が話してくれたその沢地の様子は、気持ちをひきたててはくれませんでした。

しかし今のところは、徒歩もそういやなことではありません。実際、前の晩の騒ぎさえなければ、ホビットたちは今日のこの旅を、これまでのどれよりも楽しく思ったことでしょう。日は明るく輝き、よく晴れていますが、それほど暑くはありません。谷間の林はまだ青々と葉が茂り、のどかで清らかな感じがしました。馳夫はたくさんの交差した小道を自信をもって案内して行きました。ホビットたちだけなら、すぐに途方に暮れてしまったでしょう。かれは万一追手がある時のことを考えて、それをまくために、何度も道を折れたり、逆行したりしてくねくねと進みました。

「ビルのやつはまちがいなくわれわれが街道からそれるところを見ていたに違いない。」と、かれはいいました。「もっとも自分ではわれわれの後をつけてはこないだろうけど。あの男はこのあたりの土地には委《くわ》しいが、森の中ではわたしにはとてもたち打ちできないことを知っているからだ。わたしが心配するのは、あの男が他の者に告げるかもしれないことだ。かれらはあまり遠くにいるとは思われない。われわれがアーチェト村に向かったとかれらが思ってくれれば、助かるのだが。」

駝夫《はせお》の案内の巧みさによるのか、それとも他の理由のためか、その日は一日中、何か他の生きもののいる様子も見えず、音も聞こえませんでした。鳥のほかには、二本足はいず、狐一匹とりす数匹のほかには四本足も見かけませんでした。

次の日はひたすら東を目指して進み始めましたが、あいかわらずどこも平穏無事でした。ブリー村を出て三日目にかれらはチェトの森を脱け出しました。土地は、かれらが街道からはずれて以来、だんだん低くなってきていましたが、今や、平坦でだだっぴろい土地にはいりました。これはそれまでよりずっと厄介な旅でした。ここはブリー郷《ごう》の郷境《ごうざかい》のはるか先、道もない荒れ地の中で、ぶよ水の沢地にだんだん近づいてきたところでした。

地面はもう湿地帯となり、ところどころにぬかるみがあるかと思えば、あちこちで池にぶつかりました。芦や藺草《いぐさ》の原が茫々《ぼうぼう》と広がり、そこに隠れひそむ小鳥たちのさえずりがしきりに聞こえました。かれらは足を濡らさないように、そしてまた方向が狂わないようによくよく注意して進まなければなりませんでした。最初のうちはかなり道もはかどりましたが、進むにつれてだんだん足の運びも遅くなり、危険も多くなってきました。この沢地は人を迷わせ、少しも信用できませんでした。いつも同じ場所に通り路があるわけではなく、野伏《のぶせ》たちでも始終場所の移り変わる泥沼の中に道を見つけなくてはなりませんでした。蝿《はえ》がうるさくつきまとい始めました。雲霞《うんか》のようにむらがった小さなぶよが、袖といわずズボンといわず、髪の毛の中にまではいりこんできました。

「生きたまま食べられちまうよ！」と、ピピンが悲鳴をあげました。「ぶよ水だって！　水より
ぶよの方が多いじゃないか！」

「こいつら、ホビットをつかまえない時には、何食って生きてるだね？」ボリボリ首筋を掻きながらサムがいいました。

一同は、この淋しい不愉快な土地で惨めな一日を過ごしました。野宿の場所は湿っていて冷たく、たいへん居心地の悪い所でした。それに刺す虫のおかげで眠ることもできません。また芦や茂みの中には、その鳴き声から推してこおろぎの凶悪な仲間と考えられるいやな生きものが住みついていました。かれらは何千となくいて、一晩中止むことなく「コウベ、サセ、コウベ、サセ、サセ、シモト、サセ」と周り中で鳴き続け、ホビットたちはしまいには気も狂わんばかりになってしまいました。

翌四日めもほとんど変わらず、夜はくつろぐこともできないくらいでした。コウベサセ虫（サムが名づけたのです）たちのいる所はあとにしましたが、ぶよたちはまだあとを追って来ます。

疲れ切ってはいるものの、目を閉じることができず、フロドが横になっていると、はるかかなたの東の空に光が見えたような気がしました。それは何度もぴかっと光っては消え、光っては消えました。夜明けまでにはまだまだ何時間もあるのでそれは暁の光ではありません。

「あの光はなんでしょうか？」かれは馳夫にたずねました。馳夫はすでに起き上がって、立ったままじっと前方の夜の闇の中を見据えていました。

「わたしにはわからない。」と、馳夫《はせお》は答えました。「遠すぎて見当がつかない。まるで丘の頂を稲妻が走っているようだ。」

フロドはふたたび横になりましたが、それからも長い間、白い光がぱっぱっと閃くのが見え、またその光を背景にし、無言のままゆだんなく前を注意して立っている馳夫の背の高い黒っぽい姿が見えました。それでもようやくフロドは落ち着かない眠りにはいってゆきました。

五日めはそれほど歩かないうちに、ばらばらに散在する最後の水たまりと芦の原をあとにすることができました。前方の土地はまただんだん上りになってきました。はるか遠く東の方に山並みが認められました。丘の並びの一番右のはずれに、他の丘から少し離れて一番高い丘がありました。頂部が円錐形になっていて、頂上はわずかに平たくなっていました。

「あれが風見が丘だ。」と、馳夫はいいました。「われわれが遠く右手にあとにしてきた旧街道はあの丘の南を走っていて、麓《ふもと》の近くを通っている。ここからまっすぐ向かえば、明日の昼までにはあそこに着くかもしれない。そうしたほうがいいだろうかねえ。」

「どういうことですか？」と、フロドはたずねました。

「つまりこういうことだ。あそこに着くには着いても、何が見つかるかはわからない。街道に近いから。」

「でも、きっとあそこでガンダルフが見つかると思ってたわけでしょう？」

「そう思ってはいた。しかしその望みはかすかなものだ。たとえかれがこちらの方にやってくるにしても、ブリー村は通らないかもしれないから、われわれが今どうしてるかはかれにはわからないかもしれない。それに、運よく両方がほとんど同時にあそこに着くようなことでもなければ、お互いに行き違ってしまうだろう。かれにとっても、われわれにとっても、あそこで長いこと待っているのは安全でないだろうから。黒の乗手たちは荒れ地でわれわれを見つけそこなえば、おそらくかれらもみずから風見が丘に向かうだろう。あそこからは遠く十方が見渡せるから。現に、ここにこうやって立っているわれわれをあの丘の頂から見下ろすことのできる鳥や獣たちが、この土地にはいっぱいいるのだ。鳥たちのすべてが信用できるとは限らない。それに、かれらよりももっと悪質な間者《かんじゃ》たちもいるのだ。」

ホビットたちは心配そうに遠くの山並みに目を向けました。サムは敵意を含んだ油断のない目をした鷹《たか》や鷲《わし》たちが頭上をはばたいているのではないかと、薄青い空を見上げました。「そんなことといわれると、なんだか不安で心細くなりますだ。馳夫旦那！」と、かれはいいました。「どうしたらいいとおっしゃるんですか？」と、フロドはたずねました。

「そうだねえ、」馳夫はあまり確信がないかのように、のろのろと答えました。「そうだねえ。一番いいのは風見が丘ではなく、あの山並みを目指して、ここからできるだけまっすぐ東に行くことだ。するとあの山並みの麓を走っている小道にぶつかるはずだ。その道を使えば、北側のあまり開けてない方から風見が丘に登ることができる。それからあとはなるようになるだろう。」

その日は一日中とぼとぼ歩き続けましたが、やがて、早くも肌寒い夕暮れが訪れました。地面はだんだん乾いてきて、樹木もまばらになってきました。しかしかれらがあとにした沢地には霧やガスがかかっていました。物悲しい声の鳥たちが鳴き叫んでいましたが、やがて丸い真っ赤な太陽がゆっくりと西の暗闇に沈んでしまうとそれも聞こえなくなり、空虚な静けさが訪れました。ホビットたちは、今は遠く離れた袋小路屋敷の楽しい窓辺に、やわらかな夕陽が射し込んでいるさまを思い浮かべました。

その日の終わり頃、一行は丘から流れ落ちてくる小川に出ました。小川はあのよどんだ沼地に流れ込んでいるのでした。まだ明るさが残っている間は、この流れの土手に沿って登って行きました。岸辺に何本かのいじけた榛《はん》の木が生えているところがありました。かれらはここで止まり、野宿をすることにしました。前方の薄暗い空には、丘陵の荒涼として木一本ない稜線が浮かび上がっていました。その夜は見張りを立てて眠りましたが、馳夫《はせお》は一睡もしないようでした。月は満ちてくるところで、夜もまだふけないうちは、冷たい青白い光があたりを照らしていました。

次の朝、かれらは夜が明けると間もなくふたたび出発しました。空気はひえびえと冷たく、空は薄青く澄みわたっていました。ホビットたちは一晩中とぎれることなく眠り続けたかのように、さわやかな気分になりました。かれらは不足がちな食べものでたくさん歩くことにもうとっくに慣れてきていました——不足がちもいいところで、ホビット庄でなら、両脚でどうやら立つために最低必要な食糧にも足りないということになるでしょう。ピピンは、フロドのことを今までにくらべて二倍もホビットらしくなったといいました。

「ずいぶんおかしなことだね、」フロドはベルトを締めながらいいました。「実際は細くなってるんだからね。だけどそうそう無限にやせ続けませんように。でないと生きながら幽鬼《ゆうき》になっちゃう。」

「そんな言葉を口に出しちゃいけない！」馳夫が即座にいいましたが、それは驚くほど真剣な口調でした。

山並みは次第に近づいてきました。うねり続く尾根は、高いところでは一千フィート近くにもなるかと思えば、また落ち込んで、低い狭間《はざま》や向こうの東の国に通じる峠になっていました。尾根に沿って、苔むした城壁や防壁の名残らしいものが見られました。狭間には廃墟《はいきょ》となった古い石組みがまだ残っていました。夜がくるまでに一行は西斜面の麓《ふもと》に辿《たど》り着き、そこで野宿をしました。十月五日の夜のことで、ブリー村を出てから六日めになりました。

朝になると、チェトの森を離れてからはじめて、はっきりそれとわかる道が目にはいりました。かれらは右に曲がり、その道を辿って南に進みました。この通り路は、山々の頂からも、西の平地からもできるだけ見られずにすむような場所を選んで、巧妙な間道を作っていました。それは小さい谷間に突っ込むかと思えば、けわしい土手に沿って進み、比較的開けた平地を通る時には、その両側に大きな丸石や切石が連なっていて、生け垣のような目隠しになっていました。

「この通り路はだれが、なんのために作ったんだろう。」こういった通路の中でも並みはずれて大きな石が特別ぎっしり並べられているところを歩いている時、メリーがそういいました。「こんな所はぼくは好きじゃないよ。なんだか――そう、塚人《つかびと》のいたところみたいだ。風見が丘にも塚があるんですか？」

「いいや。風見が丘には塚はない。この丘のどれにもない。」と、馳夫《はせお》は答えました。「西方の人間たちはここに住まなかったのだ。もっとも後代には、アングマールから現われた凶悪な力を防ぐために、この丘陵をしばらく守備したことがある。この道は城壁沿いに砦《とりで》の役をするために作られたものだ。しかしそのうち、北方王国の初期に、風見が丘に大きな物見の塔が建てられ、この丘はアモン・スールと呼ばれた。それは焼き払われ、こぼたれた。今では古い丘の頭部にでこぼこの王冠のようにのっている、崩れた土台の輪のほかには何一つ名残はない。しかしかつてはそれは高く美しく聳《そび》えていた。話によれば昔、エレンディルはそこに立ち、西方からギル＝ガラドが来るのを待って見張っていたということだ。最後の同盟時代のことだ。」

ホビットたちは馳夫を見つめました。かれは荒野のことだけではなく、古い伝承にも通じているように思われました。「ギル＝ガラドというのはだれですか？」と、メリーがたずねましたが、馳夫はそれには答えず、ひとり思いに耽っているようでした。すると不意に低い声が、呟《つぶや》くように歌い出しました。

ギル＝ガラドは、エルフの王なりきと、
竪琴ひきは、悲しく歌う。
海と山との間にありし、
美しき自由の国の、最後の王なりきと。
その剣は長く、その槍《やり》は鋭く、
輝く兜《かぶと》は、遠くより望みえたり。
天《あま》が広野の無数の星は、
その銀の盾に、映りたり。

そのかみ王は、馬にて去りぬ。
いづちにか、知る人ぞなき。
むべぞかし、王の星おちて、
影の国モルドールに消えたれば。

みんなは驚いて声の方に顔を向けました。それはサムの声だったのです。
「止めないで！」と、メリーがいいました。

「おらの知ってるのはこれだけです。」サムは顔を赤くしてどもるようにいいました。「まだ餓鬼の時分に、ビルボの旦那から教わりましただ。エルフの話っていうと、おいらがいつも夢中になるのをご存知で、いつも今みたいな話を聞かせてくださいましただ。おらに字を教えてくださったのもビルボの旦那です。旦那は大そう本を読んでおいでだった、ビルボの旦那は。それに詩も書かれましただ。今おらがいったのも、旦那の書かれたものですだ。」

「ビルボが今の歌を作ったのではない。」と、馳夫《はせお》がいいました。「これは『ギル＝ガラドの没落』と呼ばれる歌物語の一部で、古代語で書かれたものだ。ビルボはこれを自分で訳したに違いない。わたしはそのことは知らなかった。」

「もっと続きがありますだ。」と、サムがいいました。「全部モルドールのことです。そこんところはおらは教わりませんでした。聞くだけでぞっとしましただ。まさかこのおらがそっちに行くことになるとは夢にも思いませんでしただ！」

「モルドールに行くんだって！」と、ピピンが叫びました。「どうかそんなことになりませんように！」

「そんな大きな声でその名を口に出さないでくれ！」と、馳夫がいいました。

一行がその間道の南のはずれに近づいた時は、もうかれこれ昼でした。十月の太陽の淡く澄んだ光を受けて、目の前に、白っぽい緑色の土手がまるで橋を渡したように目指す丘の北の斜面を上って行くのが見えました。かれらは日の高いうちにすぐ頂上に向かうことに決めました。これから先はもう隠れて進むことはできません。敵や間者《かんじゃ》がどこからも見ていないことを願うほかはありませんでした。丘のどこにも何一つ動くものは見られません。たとえガンダルフがどこかこのあたりにいるとしても、影も形もありませんでした。

風見が丘の西の山腹に身の隠せる窪地がありました。窪地の底にはすり鉢形の小さな谷があり、周囲には草が生えていました。サムとピピンが、小馬と荷物の番をしてそこに残り、あとの三人はそのまま登り続けました。重い足を引きずりながら三十分も登った頃、まず馳夫が丘の頂に登り着きました。そのあとにへとへとに疲れ、息を切らせてフロドとメリーが従いました。最後の登りは急でけわしく、岩だらけだったのです。

頂上には、馳夫がいったように、今は崩れて、ぼうぼうと伸びた草におおわれた、大きな環状の古い石組みが見いだされました。その中央には砕石のケルン（積石）が一山、組まれていました。それらはすべて火で焼かれたように黒くなっていて、周囲の芝草は根元まで焼かれ、石の環《わ》の中の草は、まるで焔《ほのお》が丘の頂をなめつくしたように一面に焦げただれていました。しかし生きているもののいそうな気配は少しもありません。

円形の廃墟《はいきょ》のふちに立つと、四方に広い眺望がひらけましたが、大よそはなんの特色もない空っぽの土地が広がっていて、ただ遠く南の方に何個所か森が見えるだけでした。その向こうには、はるかな川の水がここかしこにきらっと光るのが見受けられました。今立っている南側の足許には、一筋のリボンのように街道が西の方から現われて、くねくね曲がりながら、東の方の暗い起伏のかなたに消えていました。街道には何一つ動くものは見あたりません。目でその線を東の方に辿《たど》って行くと、霧ふり山脈が見えました。その手前の麓《ふもと》には、茶色くくすんだ丘陵地帯が横たわり、その背後には灰色のもっと高い山並みが連なり、さらにまたその背後には雲の中にきらめきながら聳《そび》え立つ白い高峰の連なりがありました。

「さあ、着いたぞ！」と、メリーがいいました。「だけど、ここは見たところとても気の滅入るような、魅力のないところだな！　水もなければ、物陰もない。それにガンダルフのいそうな気配もない。もっとも、ガンダルフが待っててくれなくても、これじゃ文句はいえないな――もし来てればのことだけど。」

「どうかな。」馳夫《はせお》は注意深くあたりを見回しながらいいました。「ガンダルフなら、ブリー村を出るのがわれわれより一日二日遅れても、ここには先に着くことができるだろう。かれは急ぐ必要のあるときには非常に速く馬を走らせることができるのだ。」不意にかれは身を屈《かが》め、積石《ケルン》の一番上に乗った石を見ました。それはほかの石にくらべて平たく、そして火に焼かれるのを免れたかのように白っぽい色をしていました。馳夫はそれを取り上げ、指でひっくり返しながら、調べました。「ごく最近積まれた石だ。」と、かれはいいました。「このしるしを何だとお思いか？」

フロドはその石の平たい底部にいくつかの引っ掻き傷があるのを認めました。その引っ掻き傷は次のような形をしていました。「線が一本と、点が一つ、それからまた線が三本引い

てあるみたいですね。」と、フロドはいいました。

「左の線は、細い枝が二本ついているから、ルーン文字のGかもしれぬ。」と、馳夫はいいました。「しかとはわからぬが、ガンダルフが残した記号かもしれない。この引っ掻き傷は鋭くて細いから、まだつけられたばかりのようだ。だが、このしるしは何かまったく別の意図でつけられたもので、われわれとはなんの関係もないのかもしれない。野伏《のぶせ》たちもルーン文字を使うし、かれらもここには時々来るからだ。」

「たとえガンダルフがこれをつけたにしても、これで何かの意味になるんでしょうか？」と、メリーがたずねました。

「おそらく、」と、馳夫は答えました。「これはG3を表わす記号で、ガンダルフが十月三日にここに来たというしるしではなかろうか。十月三日というと、もう三日前になる。それからもう一つこれらでわかることは、かれの身辺に危険が迫り、かれは急いでいた。したがってこれ以上長く、意味のはっきりしたしるしをつける時間もなかったし、またあえてそうすることを避けたのだろうということだ。もしそうであれば、われわれも油断はできぬ。」

「たとえどんな意味があるにせよ、ガンダルフがこのしるしをつけたということが確かめられるといいんだけど。」と、フロドがいいました。「ガンダルフがわたしたちに相前後して進んでいるということがわかれば、ずいぶん心強いんだが。」

「多分そうだろう。」と、馳夫はいいました。「わたし自身としては、かれはここに来て、危険にさらされたのではないかと思う。ここに焔《ほのお》に焦げた痕がある。今になって思い起こすと、三日前の夜、東の空に光が見えたね。かれはこの丘の頂で襲われたのだと思う。その結果がどういうことになったのか、それはわからない。ともかくかれはもうここにはいない。だから今となってはわれわれは自分で自分を守り、できるだけ急いで裂け谷《さだに》に向かうほかはない。」

「裂け谷までどのくらいあるんですか？」メリーがいかにも疲れたように四方を眺め回しながらたずねました。風見が丘から見下ろす世界は荒涼広漠として見えました。

「ブリー村から東に一日ほど歩くと、見限り宿《やど》がある。そこから先の道はマイル数を測った者がいるかどうか、わたしは知らない。」と、馳夫は答えました。「非常に遠いという者もあれば、そうでないという者もある。なにしろ風変わりな道だから、時間が長くかかろうと短くてすもうと、目的地に着いた者はほっとするのだ。だが、天気に恵まれ、つごうの悪いことさえ起こらなければ、このわたしの足でどのくらいかかるか、それはわたしにもわかっている。街道が裂け谷から流れ出る鳴神川を横断するブルイネンの浅瀬まで、ここから十二日かかる。われわれは少なくともあと二週間は旅を続けねばならない。なぜなら街道は使えないと思うからだ。」

「二週間ですか！」と、フロドがいいました。「その間にいろんなことがあるかもしれませんね。」

「あるかもしれぬ。」と、馳夫がいいました。

三人はしばらく黙ったまま、丘の頂の南のはずれに近く立っていました。この淋しい場所に立って、フロドははじめて故郷を失った思いと身に迫る危険をひしひしと感ぜずにはいられませんでした。いっそのことあの平和な愛するホビット庄で不運に果てたほうがよかったとせつに思うのでした。かれは西の方へ、故郷の方へと続いている、見るもいまいましい街道をじっと見おろしました。突然かれは二つの黒い点のようなものが、その道をゆっくりと西へ動いていくのに気がつきました。さらに目をこらすと、それを迎えるように別に三つの黒いものがそろそろと東に進んで行きました。かれはアッと叫んで、馳夫《はせお》の腕をつかみました。

「ごらんなさい。」かれはそういって下の方を指さしました。

馳夫は崩れた環状の土台の後ろにがばと身を伏せ、フロドを引っ張って自分の横に伏せさせました。メリーも並んで体を投げ出しました。

「どうしたんですか？」メリーが小声でたずねました。

「わからない。だが最悪の事態を恐れているのだ。」と、馳夫は答えました。

三人はゆっくりと環《わ》のふちまではい進んで行きました。そしてぎざぎざの二つの石の間の割れ目から覗《のぞ》いてみました。陽の光はもう今までのように輝きわたってはいません。午前中の晴れた空はすでにかげり、東の方から少しずつ広がってきた雲が、傾き始めた太陽を、すでにおおってしまいました。かれらは三人とも黒い点を見ることはできましたが、フロドにもメリーにも、その形をしかと認めることはできませんでした。しかし今、黒の乗手たちがはるか下の麓《ふもと》をめぐる街道に集合しているところだということは、何故ともなくわかりました。

「そうだ、」と、馳夫はいいました。かれの人並みすぐれた視力もおそらく利《き》かなかったものと見えます。「敵が来たのだ！」

三人は腹ばったまま大急ぎでそこを去り、丘の北側を滑り降りて、仲間の二人を探しに行きました。

サムとペレグリンはぼやぼやしてはいませんでした。二人は小さな谷間とその周りの斜面を探検してまわりました。あまり遠くない山腹に澄んだ水の湧いている泉を見つけました。そしてそのそばにせいぜい一日か二日しかたっていない足跡を見つけました。谷間の中にも最近火を燃やした形跡や、あわただしい野宿の跡が見いだされました。谷間の縁の丘の頂に寄った側に石ころがいくつか転がっていました。その陰にきちんと積んだ薪の小さな山があるのをたまたまサムが見いだしました。

「ガンダルフ旦那がここに来なすったんですかね。」と、かれはピピンにいいました。「こんなものここに置いとくんだから、だれか知らんけど、もう一度戻ってくるつもりだったみたいに見えますだ。」

馳夫はこれらの発見物にたいへん興味をもちました。「わたしがここに待ってて自分で探検すればよかった。」かれはそういうと、足跡を調べるために急いで泉の方に出かけて行きました。

「心配した通りだった。」かれは戻って来るなりそういいました。「サムとピピンがやわらかい土の上を踏み荒らしたので、足跡は消えたりわからなくなったりしてしまった。野伏《のぶせ》たちも最近ここに来ている。薪を残して行ったのはかれらだ。しかし、野伏のではない新しい足跡もいくつかあった。そのうち少なくとも一組は、一日か二日前に重い編み上げ靴でつけた跡だ。少なくとも一人はいる。今ははっきりとはわからないが、編み上げ靴をはいていた者がいくたりもいるように思う。」かれはそれから黙って立ったまま、心配そうに考えこんでいました。

四人のホビットたちはそれぞれの心に、マントを着て編み上げ靴をはいた乗手たちの姿を思い浮かべました。馬に乗った者たちがもうすでにこの小さな谷間を見いだしているとしたら、馳夫《はせお》に少しでも早くどこか別の所に連れて行ってもらうに越したことはありません。サムは、たった数マイル先の街道に敵がいるという知らせを聞いて、いかにもいやでたまらないように窪地に目をやりました。

「大急ぎでここを引き払ったほうがいいのと違いますか、馳夫の旦那？」かれはもどかしそうにたずねました。「だんだんおそくなってきますし、おらはこの谷がどうも好きじゃないんで。どういうわけでかこれを見ると気持ちが沈みますだ。」

「そうだ、確かに今すぐどうするか決めなきゃならぬ。」馳夫は空を見上げ、時間とお天気に相談しながら答えました。「ところで、サムよ、」とうとうかれはいいました。「わたしだってこの場所は好きではない。だが、暗くなるまでに行きつけそうな場所でここよりましな所はどこも思いつかない。少なくともここしばらくはわれわれの姿は見られないですむわけだ。もし動けば、間者《かんじゃ》たちに見られるおそれもずっと多くなる。われわれにできることは、道をはずれて、丘陵のこちら側を北に戻るしかないだろう。しかしそこの土地はことほとんど変わらない。街道はかれらが見張っている。だが、ずっと向こうの南にある茂みに隠れながら進むつもりならば、どうしても街道を横切らなければならない。この丘陵から先は、街道の北側は何マイルにもわたって木も何もない平地なのだ。」

「乗手たちは目が見えるんですか？」と、メリーがたずねました。「というのは、かれらはいつも目よりも鼻を使ってるみたいに思えるからです。少なくとも昼間はどうも匂いを嗅《か》いでぼくたちを探してるようなんです。匂いを嗅ぐというのがぴったりの言葉かどうか知りませんが。だけど、あなたは、下にかれらがいるのを見て、ぼくたちに体を伏せさせましたね。そして今は、ここから動けば見られるかもしれないと話してらしたでしょ。」

「頂上ではわたしもちょっと不注意だった。」と、馳夫はいいました。「ガンダルフのいた形跡がないかと思って、それを探すことに気を取られてしまった。しかし、われわれ三人があそこに登ってあんなに長い間立っていたのはまちがいだったよ。なぜならあの黒い馬たちは目が見えるし、乗手たちはわれわれがブリー村で経験したように、人間やほかの生きものを間者として使うことを知っているからだ。かれら自身はわれわれのように昼間の世界を見ることはできない。しかしわれわれの姿がかれらの心に影を落とすのだ。その影を消すものは正午の太陽しかない。そしていったん暗闇が訪れると、かれらはわれわれの目には隠されている多くのしるしや形を見分けることができる。そのときかれらは最も恐るべき者となる。さらにかれらはどんな時でも生きているものの血の匂いを嗅《か》ぎ分けるのだ。かれらは生血を欲し、かつ憎んでいる。また視覚や嗅覚とちがう別の感覚が働くのだな。われわれもかれらの存在を感じることができる――ここへ着いてすぐ、まだかれらを見る前に、かれらの存在はわれわれの心を乱した。かれらの方は、いっそう強くこちらの存在を感じているよ。それに、」かれは声をひそめてつけ加えました。「指輪がかれらを引き寄せるのだ。」

「それならもう逃れようがないんですね？」フロドは狂おしくあたりを見回しながらいいました。「動けば、見られて追い回され、とまれば、やつらを引き寄せるとなれば！」

馳夫《はせお》が片手をかれの肩に置きました。「まだ望みはある。」と、かれはいいました。「あなたは独りではない。信号用にいつでも火がつけられるようになっているこの薪を使おう。ここには身を寄せる場所も防ぐものもほとんどない。しかし火はその両方の役に立つだろう。サウロンはその奸悪な用に立てるためにほかのすべてのことと同様火を使うことも知っている。しかしあの乗手たちは火を好まないし、火を使う者を恐れる。荒野では火はわれらの友なのだ。」

「そうかもしれねえが、」と、サムがぶつぶついいました。「『おらたちはここだぞ』と教えるようなもんだ。声出してどなりゃ別だが、これ以上考えられないくらい危ない方法だな。」

その小さな谷間の一番底の一番身を隠せそうな隅っこに降りて行って、みんなは火を燃やし、食事の支度をしました。夕闇が迫り始め、だんだん寒くなってきました。かれらは不意に非常な空腹を感じました。朝食を食べたきり、何も食べていなかったのです。しかしごくつましい食事のほかには何も作れませんでした。行く手の土地は鳥獣のほかには住むもののない、すべてのものに見捨てられた親しみにくい場所なのです。野伏《のぶせ》たちは時にこの丘陵を越えて行くことがありました。しかしかれらの数は少なく、それに一個所にとどまることはありません。ほかにこのあたりをさ迷う者はほとんどなく、あっても性悪の者たちでした。霧ふり山脈の北の峡谷から、時にトロルたちがさ迷い出て来るかもしれませんでした。ただ街道には旅人たちの姿が見受けられましたが、たいていドワーフたちで、自分のことだけに没頭して道を急ぎ、知らない者たちとはほとんど言葉も交わさず、まして力を貸してくれることもありません。

「どうしたら食べ物をもたすことができるだろう。」と、フロドがいいました。「ここ数日ずいぶん気をつけてきたし、この夕食だってちっともご馳走じゃない。だけど、この先まだ二週間か、あるいはそれ以上かかるとしたら、大分使いすぎてしまったことになる。」

「荒野には食べ物がある」と、馳夫はいいました。「木の実に木の根、草の実に草がある。いざとなればわたしには猟師の腕もある。冬の来ないうちは飢え死にを心配することはない。だが食べ物を集めたり捕まえたりすることは時間のかかるうんざりする仕事だ。それに道を急ぐ必要がある。だからあなた方はベルトを緊《し》め、エルロンドの館《やかた》の食卓を期待なさるがよい！」

暗闇が迫るとともに寒さも加わってきました。谷間の縁から外を覗《のぞ》くと、見えるものはただたちまち薄闇に消えていこうとする灰色の地面だけでした。頭上の空はふたたび晴れてきて、瞬《またた》く星々がゆっくりと満天を満たし始めました。フロドとその三人連れは持っている限りの衣服や毛布にくるまり、火の周りに体を丸めました。しかし馳夫《はせお》はマント一枚に満足して、少し離れたところにすわったまま、思いに耽るようにパイプをふかしていました。

夜がとっぷりと暮れ、焚火《たきび》の明かりが赤々と照り映《は》えてくると、馳夫はみんなの気持ちを恐怖から遠ざけようと話を始めました。かれは、遠い昔の歴史や伝承に通じていて、上古でのエルフと人間の善悪さまざまの事件を知っていました。ホビットたちはいったいかれがいくつになるのか、そしてどこでこのような伝承を身につけたのかをいぶかりました。

「ギル＝ガラドのことを話してください。」エルフ王国の物語が終わってかれが一息ついた時、不意にメリーがいいました。「あなたが話してらしたあの古い歌物語をもっとくわしくご存知でしょ？」

「確かに知ってはいる。」と、馳夫は答えました。「フロドも知っているはずだ。なぜならこれはわれわれに密接なかかわりがあるからだ。」メリーとピピンはフロドに目を移しました。かれはじっと火を見つめていました。

「わたしはガンダルフが教えてくれたそのうちのごく一部しか知らない。」フロドはのろのろといいました。

「ギル＝ガラドは中《なか》つ国《くに》の偉大なエルフの王たちのうちの最後の王だった。ギル＝ガラドというのはエルフの言葉で『星の光』ということだ。エルフの友エレンディルとともにかれはモル――」

「いけない！」馳夫が遮りました。「われらの敵の召使どもが近くにいる今、この話はすべきでないと思う。道中首尾よくエルロンドの館《やかた》に着いた時には、そこではじめから終わりまでたっぷりと聞かせてあげられるだろう。」

「それなら昔の話で何か別のを聞かせておくんなさい。」と、サムが頼みました。「衰える前のエルフの話ですだ。おら、エルフのことをもっと聞きたくて聞きたくてたまんねえです。暗闇が周りからどんどん迫ってくるみたいな気がしますで。」

「ティヌヴィエルの話をしてあげよう。」と馳夫がいいました。「だが簡単にだよ――なぜならこれは、終わりがわからない長い話だからだ。それに今ではエルロンドの他には昔語られたままにこの話を覚えている者は一人もいない。これは美しい話だよ。もっとも、中つ国のすべての話がそうであるように、悲しい話ではあるが。しかしそれでもこの話はあなた方を元気づけるかもしれぬ。」かれはしばらく黙していましたが、やがて話すというより、低い声で節《ふし》をつけて謡い語り始めました。

木の葉は長く、草は緑に、
ヘムロックの花笠はのびて、あでやかだった。

木の間の空地にさしこむ光は、
　夜空にまたたく星明かりだった。
そこに踊るのは、ティヌヴィエルよ、
　見えない笛の音にあわせて。
星明かりを髪にかざし、
　まとう衣をきらめかせて。

きびしい山から、ベレンはおりて、
　道ふみ迷い、さまよう森辺、
エルフの川のとどろくあたり、
　ひとり嘆いて、たずねていけば、
ヘムロックの葉陰にかいま見た、
　黄金の花々を裳と袖にさし、
髪を影のようになびかせて、
　おどる美しい乙女の姿。

山々を越えてさまよう運命に疲れた足も、

魅せられた心にたちまち癒《い》えて、
烈しく早く駆けよったベレンの
手につかんだのは、きらめく月光ばかり。
織りなす木々をすりぬけて、わが家へ
乙女は踊る足どり軽く逃げていった。
あとに男は、なおも淋しく、
耳すませつつ静まる森をさまよった。

男はきいた、菩提樹の葉ずれのように軽い
にげゆく乙女の足音を。
またきいた、地下から湧き出でて
かくれた窪地に鳴る楽の音を。
はやヘムロックの花束はしおれて、
一葉一葉、溜息《ためいき》をつき
ささやきながら、ぶなの葉は落ちた、
冬の森に、たゆたうように。

男は、乙女を求めて遠くさまよった、
　年々の落葉が厚くつもる処を、
月の光、星の明かりをたよりに、
　寒さきびしい空の下にふるえながら。
かなた、高い山の頂上で、
　衣を月光にひるがえして
乙女は踊るよ、その足もとに
　銀の霧がうずまいて散った。

冬がすぎて、乙女はもどった。
　その歌声がとき放つ、にわかな春に、
雲雀《ひばり》は舞い、雨はくだり、
　雪解け水は、泡立って流れた。
乙女の足もとに咲いたエルフの花を、
　男は見て、悲しみをまた癒《いや》された。
かれの望むのは、芝草の上で
　乙女をおどさずに、歌い踊ることだった。

ふたたび乙女は逃げたが、男は早かった。
ティヌヴィエルよ！　ティヌヴィエル！
エルフの名で呼ぶ男の声に、
乙女は足をとめて、耳をかたむけた。
その声にこもる魔力で
　立ちつくす時の間に、ベレンは来た。
かくてティヌヴィエルに運命はくだり、
　ベレンの腕にかがやかしく横たわった。

乙女の髪の陰の二つの眼を
　ベレンがのぞきこんだとき、
夜空にゆらぐ星の光が、
　そこに映ってふるえるのを見た。
エルフの美女なるティヌヴィエル、
　命つきせぬエルフの乙女、
陰なす髪は、ベレンをつつみ、

双の腕《かいな》は、銀のようにかがやいた。

運命のみちびく道は、長かった。
冷たい灰色の石の山を越え、
鉄の広間を通り、お暗い戸口をくぐり、
朝の来ない夜の森をぬけ、
別れの海にへだてられたが、
二人はついに、ふたたび出会った。
して、遠いそのかみ、二人はともに、
歌いながら、嘆きも知らず森へ去って行った。

馳夫《はせお》は吐息をついてしばらく黙っていましたが、やがてまた話し始めました。「これはエルフたちの間でアン＝センナスと称されている旋法で歌われる歌なのだが、われわれの共通語でその感じを伝えるのは、むずかしい。今わたしが歌ったのは、その響きを大ざっぱに伝えたものでしかない。これはバラヒアの息子ベレンとルシアン・ティヌヴィエルとの出会いを歌ったものだ。ベレンは死すべき定めの人間だが、ルシアンはこの世界がまだ若い頃、中《なか》つ国《くに》に君臨したエルフの王シンゴルの娘だった。ルシアンほどの美しい乙女はこの世が始まって以来今まで一人もないといわれている。その愛らしさは霧にとざされた北国の地を照らす星々のようであり、その顔にはきらめく光があった。その頃、モルドールのサウロンなどはわずかにその召使の一人にすぎなかった強大な敵が北方のアングバンドに住んでいた。そこへ西方のエルフたちが中つ国に戻って来て、かれに盗まれたシルマリルを奪回しようとかれに戦いを仕かけた。その時人間の父祖たちもエルフを助けた。しかし敵は勝利を収め、バラヒアは斬り殺された。ベレンは恐ろしい危険をくぐり脱けて、恐怖の山々を越え、ネルドレスの森にあるシンゴルの隠れた王国に迷い込んで来た。そこでかれはルシアンが魔法の川エスガルドゥインのほとりの林間の空地で歌いながら踊るのを見たのだ。かれはルシアンをティヌヴィエルと名づけた。これは古い言葉で小夜啼鳥《さよなきどり》という意味なのだ。その後数々の悲しみがかれらの上にふりかかり、二人は長い間別れていた。ティヌヴィエルはサウロンの土牢からベレンを救い出し、二人はともに大いなる危険をいくつもくぐりぬけて、強大な敵さえもその王座から放逐し、その鉄の冠から、すべての宝玉の中で最も光り輝くもの、三個のシルマリルの一つを取り戻して、ルシアンを花嫁に申し受けるために、その父シンゴルに贈った。しかしおしまいにはベレンはアングバンドの城門から出て来た狼に殺され、ティヌヴィエルの腕に抱かれて死んだ。そしてティヌヴィエルはかれのあとに続けるよう、人間と同じ有限の命を選び、この世で死ぬことを選んだのだ。かれらは別れの海のかなたでふたたび出会い、ほんの束の間、緑の森の中をふたたび生ある者となって歩いた後、ともに遠い昔この世の境を越えて行ったと歌に歌われている。そういうわけで、エルフ一族の中でルシアン・ティヌヴィエルだけが実際に死んでこの世を去ったのだ。エルフたちはかれらの最も愛する者を失ったことになる。しかしルシアンから古代のエルフ王たちの血筋が人間に伝わったのだ。ルシアンを先祖とする者が今なお生きている。かの女の血筋はけっして絶えることがないともいわれている。裂《さ》け谷《たに》のエルロンドもその血を受けた者だ。なぜなら、ベレンとルシアンからシンゴルの世継ディオルが生まれ、その娘、白きエルウィングが、エアレンディルの妻となった。エアレンディルはついに、この世の霧の中から船出して、その額にシルマリルを輝かせ、天《あめ》なる海に去ったのだが、このエアレンディルからヌメノールの王たちが出て来た。それが、西方王朝だ。」

駛夫《はせお》が話している間、ホビットたちは赤々と燃える焚火《たきび》の明かりにぼんやり照らされたかれのふだんと違う熱心な顔つきをじっと見守っていました。かれの目は輝き、その声は深く朗々と響きました。かれの頭上には黒々とした星空がありました。不意にかれの背後の風見が丘の頂に蒼白い光が射しました。満月に近い月がゆっくりと丘の上に上ってきて、かれらのいる所は丘の陰になり、丘の頂を照らす星々の光はうすれました。

物語は終わりました。ホビットたちはもぞもぞ体を動かし、伸びをしました。「ほら！」と、メリーがいいました。「月が上ってくるよ。もうおそいに違いないね。」

みんなも顔を上げました。そうする間にも、丘の頂に何か小さな黒っぽいものが、上る月のおぼろな光の中に浮かんでいるのが見えました。おそらく薄明るい月光に照らし出されたただの大きな石か突き出た岩にすぎないのかもしれません。

サムとメリーは立ち上がり、焚火を離れて向こうに歩いて行きました。フロドとピピンは黙ってすわっていました。馳夫は月光の射す丘の上を一心に見つめています。すべてが動かずに静まり返っているように見えましたが、フロドは、馳夫が口を閉ざした今となると、冷たい恐怖感が心臓にまで忍び寄ってくるのを感じました。かれはいっそう火の近くにうずくまりました。ちょうどその時、サムが谷の縁から駆け戻って来ました。

「どうしてだかわかんねえけど」と、かれはいいました。「おら、急に恐ろしくなりましただ。どんなに金貰ったって、おら、この谷から出ることはできませんだ。何かがそっと丘を登って来るような気がしましただ。」

「何かを見たのかね？」フロドはさっと立ち上がってたずねました。

「いいや、旦那。おら、なんにも見ませんでした。立ち止まって見てみようとしなかったのです。」

「ぼくは見ましたよ。」と、メリーがいいました。「それとも見たように思ったのです――ずっと西の方の平地に、山頂の影が落ちていますが、そのさきの月光をあびたあたりに、二つか三つ黒いものを見たように思いましたよ。それはこっちにやって来るみたいでした。」

「火のそばを離れるな、顔を外に向けて！」馳夫が叫びました。「長めの棒切れを両手に持て！」

一同は無言のまま油断なく、息をこらしてすわっていました。焚火に背を向け、それぞれ周りをとりかこむ暗がりに目を据えていました。何事も起こりません。闇の中にはなんの物音も聞こえず、動くものもありません。フロドはこのしじまを破らねばならぬ思いに駆られて体をびくっと動かしました。かれは大声で叫び出したくなったのです。

「しいっ！」と馳夫《はせお》が囁《ささや》きました。「あれはなんだ？」と、同時にピピンが息を切らせながらいいました。

この小さな谷間の丘の頂から遠い方の上縁に影が一つ立っているのを、かれらは見るというよりも感じました。影は一つか、もしくはそれ以上あるかもしれません。かれらは目を皿のようにしました。すると影はだんだん大きくなるように見えました。やがて疑いの余地はなくなりました。背の高い黒い人影が三つか四つそこの斜面に立って、かれらを見下ろしているのです。その姿はあまりにも黒々としていましたので、その背後の深い闇にうがたれた黒い穴のように見えました。フロドは毒のある息を吐き出すようなしゅうしゅうというかすかな音を聞いたように思いました。そして身にしみるような寒気を感じました。やがて影たちはゆっくり進んで来ました。

ピピンとメリーは恐怖に打ちのめされ、地面にぺったりと体を投げ出しました。サムはフロドの脇に縮こまりました。フロドも仲間たちに劣らず怯えていました。かれはひどく寒気がするように、がたがたふるえていました。しかしその時恐怖は、突然指輪をはめたいという誘惑に、吸い込まれてしまいました。かれは、どうしてもそうしたいという望みに支配され、ほかのことはもう何も考えられなくなりました。かれは塚山のことを忘れてはいません。ガンダルフの手紙のことも覚えています。しかし、何かがむりやりかれにそれらの警告を無視させようとしてるように思えました。そしてかれはそれに屈服したくなったのです。別に逃げたいからというわけでもなく、また善きにしろ悪しきにしろ何かしたいからというわけでもなく、ただぜひとも指輪を取り出し、指にはめねばと感じただけでした。かれは口を利《き》くことができませんでした。かれは、サムが、主人の非常に苦しんでいるのを知っているかのように、自分の方をじっと見ているのを感じました。しかしかれはサムの方に目を向けることができませんでした。かれは目を閉じ、しばらくその誘惑と戦っていました。しかしそれに抵抗することはもはや堪えがたくなり、遂にそろそろと鎖を引っ張り出し、左手の人差し指に指輪を滑り込ませました。

たちまち、ほかのすべての物はもとのままぼんやりと暗く見える中で、黒い影たちの姿だけが恐ろしいほどはっきり見えてきました。かれはかれらの黒い装束の下まで見通すことができました。背の高い姿は全部で五つありました。二人は谷の縁に立ち、三人は前進して来るところでした。かれらの蒼白い顔には鋭い無慈悲な目が燃えていました。黒いマントの下には灰色の長衣をまとっていました。灰色の頭には銀の兜《かぶと》がかぶせられていました。やせさらばえた手には鋼《はがね》の剣が握られていました。かれらの視線はかれを捕え、かれを突き刺しました。それとともにかれらはかれに向かって走り出しました。死に物狂いでかれは自分の剣を抜きました。かれにはそれがまるで松明《たいまつ》のように赤くちらちらとゆらぐように見えました。五人のうち二人が立ち止まりました。三人めはあとの者より背がいっそう高く、長い髪をきらめかし、兜の上に冠をいただいていました。かれは片手に長い剣を持ち、もう一方の手にナイフを握っていました。ナイフもそれを握る手も蒼白い光を放っていました。かれはぱっと跳び上がったかと思うと、急にフロドに襲いかかってきました。

その瞬間フロドは地面に体を投げ出し、自分が声高く「おお、エルベレス！　ギルソニエル！」と叫んでいるのを聞きました。それと同時にかれは敵の足許に剣を突き刺しました。かん高い叫び声が夜の闇に響き渡りました。そしてかれはまるで毒ある氷の投げ矢が突き刺さったような痛みを左肩に感じました。かれは気が遠くなりながらも、渦巻く霧を通して見るように、馳《は》せ夫《お》が両手にめらめらと燃える木切れを持って、暗闇から跳び出して来るのをちらと目に捕えました。最後の力をふりしぼってフロドは、剣を手から落とし、指から指輪を抜きとると、右手でそれをしっかりと握りました。

十二　浅瀬への逃走

　フロドは正気に戻ってみると、まだ指輪を必死に握りしめたまま、焚火《たきび》のそばに横たわっていました。焚火は、そだの山で赤々と燃えています。フロドの三人の仲間たちがかれの上に屈《かが》み込んでいました。

「何が起こったんだ？　蒼白い顔の王はどこにいる？」かれは狂おしくたずねました。

　仲間たちはかれが口を利《き》くのを聞いて、喜びのあまりしばらくその問いに答えようともしませんでした。それにかれらにはフロドのたずねることがわからなかったのです。やっとかれは、サムの話から、かれらが自分たちの方に向かってやって来るぼんやりした影のような姿のほかには何も見てないらしいということが想像できました。サムは突然自分の主人の姿が消えうせたことを知ってぞっとしたのですが、その時黒い影の一つがかれのそばを風のように通り過ぎ、かれは倒れてしまったのです。かれの耳にフロドの声が聞こえましたが、それはとても遠い所か、地の下からでも聞こえてくるふしぎな言葉の叫びのようでした。三人はフロドの体にけつまずくまで、何も見かけませんでした。フロドは顔を草の上に伏せ、剣を体の下にして、まるで死んだように横たわっていました。馳夫《はせお》はホビットたちに命じて、フロドを運んで来させ、火のそばに寝かせました。そのあとかれは姿を消したということですが、それからもうずいぶん時間がたっていました。

サムは明らかにふたたび馳夫に疑惑を持ち始めたようでした。しかしそうやってみんなが話している間に、馳夫は、暗闇の中から不意に姿を現わして、戻って来ました。ホビットたちはぎょっとしました。サムは剣を抜いて、フロドをかばうように立ちました。しかし馳夫はすばやくフロドの横に跪《ひざまず》きました。

「サムよ、わたしは黒の乗手ではない。」かれは穏やかにいいました。「またかれらとぐるになっているのでもない。わたしはかれらの動静をうかがおうとしてきたのだ。しかし何もわからなかった。わたしにはかれらがここを去ったまま、ふたたび襲撃して来ない理由が考えられない。だがどこか近くにかれらのいそうな気配はないのだ。」

馳夫はフロドから話を聞くと、非常に心配して、頭をふり、溜息《ためいき》をつきました。それからかれはピピンとメリーに命じて、手持ちのいくつかの小さなやかんに沸かせるだけのお湯を沸かし、それで傷口を洗うようにいいました。「火を絶えず勢いよく燃やして、フロドを暖めてやってくれ！」と、かれはいいました。それからかれは立ち上がると、少しそこから離れたところへ歩いて行き、サムを呼びました。「わたしにはいくらか事情がわかってきた。」かれは低い声でいいました。「敵は五人しかいなかったようだ。どうして全員がやって来なかったのか、わたしにはわからない。しかしかれらは抵抗されるとは予想しなかったのだと思う。かれらは一時的に引き上げただけなのだ。しかしそれも遠くではあるまい。もしわれわれが逃げ出せなければ、かれらは明日の夜も来襲するだろう。かれらはただ待っているだけなのだ。なぜなら、かれらはほとんどその目的を果たしたと信じ、指輪が遠くには逃げられないと思っているからだ。サムよ、かれらはお前の主人が致命的な傷を負い、そのためにかれらの意志に従うことになるだろうと信じているのではないかと思う。どうなるか、今にわかる！」

サムは涙をはらはらとこぼしてむせび泣きました。「絶望してはいけない！」と、馳夫はいいました。「この際、お前はわたしを信じなくちゃいけない。お前の大事なフロドはわたしが考えていたより芯が強くできているようだ。おそらくそうだろうとガンダルフがいっていたのを聞いたことがあるが、かれは斬り殺されなかった。それに、敵が期待するよりずっと長くあの傷の恐ろしい破壊力に抵抗するだろうとわたしは思う。かれを助け、癒《いや》すために、わたしはできるだけのことをしよう。わたしが留守にしている間、十分かれを守ってくれ！」かれは急いで立ち去ると、ふたたび闇の中に姿を消しました。

フロドはうとうとと眠りましたが、傷の痛みは少しずつ強くなり恐ろしい悪寒が肩から腕へ、そして脇腹へと広がってゆきました。友人たちはかれの番をし、暖め、傷を洗いました。夜はうんざりするくらいのろのろと過ぎてゆきました。空に暁の明るさが増し、この小さな谷間にしらじらとした光が満つるころ、やっと馳夫《はせお》が戻って来ました。

「見てごらん！」かれはそう叫ぶと体を屈《かが》め、地面から、今まで暗闇にかくれて目につかなかった黒いマントを持ち上げました。裾のへりから一フィートばかり上がったところに切られたあとがありました。「これはフロドが剣で斬りつけたあとだ。」と、かれはいいました。「残念ながら敵が受けた傷はこれだけだと思う。なぜなら、相手は不死身だからだ。あの恐るべき王の体を突き刺す刃《やいば》はすべてぼろぼろに朽ちてしまうのだ。かれにとって恐ろしい打撃となったのは、むしろエルベレスの御名《みな》だった。」

「そしてそれより恐ろしい打撃をフロドに与えたのはこれだ！」かれはふたたび身を屈め、一ふりの長い細身の短剣を拾い上げました。それは冷たい光を湛えていました。馳夫がそれを持ち上げたのを見ると、刃のふちが刃こぼれし、切先《きっさき》が折れていました。しかしだんだん明るくなる光の中にかれがかざす剣を見つめるうちに、かれらは呆気にとられました。なぜなら剣の刃はみるみるとけて、馳夫の手に柄《つか》だけを残すと、煙のように空中に消え去ったように思われたからです。「ああ、なんたること！」と、馳夫は叫びました。「傷を負わせたのはこの呪うべき剣なのだ。このような邪剣に抗してよくその傷を癒《いや》すことのできる技《わざ》を持つ者は今はもうほとんどいなくなった。だがわたしはできる限りのことをやってみよう。」

かれは地面にすわり、短剣の柄を膝《ひざ》の上に置くと、それに向かって、耳慣れない言葉でゆっくり歌を歌いかけました。それから柄をわきに置くと、フロドの方を向いて、静かな口調で、ほかの者にはわからない言葉を話しました。そしてベルトに下げた小さな袋から何かの植物の長い葉を何枚か取り出しました。

「この葉っぱを、」と、かれはいいました。「わたしは遠くまで歩いて見つけに行った。というのは、この植物はこういうはげ山には生えていないからだ。だが街道のずっと南の茂みの中にこれがあるのを、わたしは暗闇の中でもこの葉の香りを頼りに見つけたのだ。」かれはその葉を一枚指でもみつぶしました。すると刺激性のある芳香がただよい出ました。「これが見つけられるとは運がよかった。これは西方の人間が中つ国《なかつくに》に持ち来った傷を癒す植物の一つなのだ。かれらはこれをアセラスと名づけた。これの生えているところは今ではたいへん少なくなり、それも昔西方の人間が住んでいたところか、野営していたところに近い場所だけになってしまった。そして北方ではこの植物のことは知られていない。ただ荒野をさ迷う者たちの一部が知っているだけだ。これにはすばらしい効能があるのだが、このような傷には、さすがのこの植物の効き目もうすいかもしれぬ。」

かれは煮え立つ湯の中に葉っぱを投げ込み、フロドの肩を洗いました。湯気とともに立ち昇る芳香はすがすがしく、傷を負っていない者たちまで心が鎮まり清まるように感じました。薬草は傷にも幾分の効力を示しました。フロドには脇の痛みと凍るような冷たい感覚がうすれていくように感じられたからです。しかし腕には生気が戻ってきませんでした。また手は持ち上げることも動かすこともできませんでした。かれは自分の愚かさをひどく悔み、自分で自分の意志の弱さを責めていました。なぜなら、今になってかれは、自分が指輪をはめたのは、自分の望みに従ったのではなく、フロドにそうすることを命じる敵たちの意志に従ったためだったことを認めたからでした。かれはもうこれで一生もとの体に戻れないのではないかと思い、どうやって旅を続けることができるだろうかと思い惑いました。かれは体の力が抜け、立てないように感じたのです。

　みんなもやはりこの問題を話し合っていました。風見が丘をできるだけ早く立ち退《の》くことにはすぐ意見がまとまりました。「今考えてみると、」と、馳夫《はせお》はいいました。「敵はここ数日間この場所を見張っていたのだと思う。もしガンダルフが来たにしても、かれはすぐに立ち退かざるをえなかったに違いない。かれは戻っては来ないだろう。いずれにしろ、昨夜の襲撃があった以上、暗くなってからここにいればたいへん危ないことになる。それにどこに行こうと、ここより恐ろしい危険に出会うことはないのではなかろうか。」

　すっかり明るくなるとすぐ、一同は大急ぎで食べものをつめ込み、荷物をまとめました。フロドは歩けるどころではありませんでしたので、あと四人は荷物の大部分を分け合い、フロドを小馬に乗せました。この数日間にこのあわれな動物はめきめきと元気になって来ました。短い間に前よりも肥って強そうになり、新しい主人たち、とりわけサムになつき始めていました。荒野の旅が以前の生活よりもずっとましらしいところを見ると、ビルの仕打ちはさぞかしひどいものであったに違いありません。

　一同は南の方角に向けて出発しました。ということは街道を横切ることになりますが、もっと木の多い場所に行くには、これが一番の早道でした。それにかれらは燃料を必要としました。馳夫にいわせると、フロドは暖かくしていなければならなかったからです。とりわけ夜はそうでした。それに火はかれら全員をある程度まで守ってくれます。それから馳夫の計画としては、またもう一個所街道が大きく湾曲しているところを横切って、旅程を縮めようという考えがありました。風見が丘を越えて東に出ると、街道はむきを変え、大きく北にむかっていたのです。

かれらは丘の南西の斜面をゆっくりと用心深く進み、やがて街道のきわまでやって来ました。乗手たちのいそうな気配はありません。しかし急いで街道を横切る間にも、遠くで二回叫び声がするのを聞きました。冷たい声が呼び、冷たい声が答えました。ふるえながらかれらは前にすっとび、前方に横たわる茂みを目指しました。目の前に広がる土地は南に向かってだんだん下りになっていましたが、荒れ地で、ふみ跡がありません。藪やいじけた木がかたまって生えているところがあちこちにあって、その間には広い不毛の土地がありました。草は乏しく、葉がこわくて黒ずんでいました。茂みの木の葉は色褪せて散りかけていました。わびしい土地でした。旅は遅々として進まず、気が沈みました。足を引きずって歩く途中、かれらはほとんど口も利《き》きませんでした。フロドは仲間たちが頭を垂れ、負うた重荷に背を屈《かが》めて自分の横を歩いているのを見て、心を痛めました。馳夫でさえいかにも疲れ、ふさぎこんでいるように見えました。

一日めの旅が終わる前に、フロドの傷の痛みはふたたび強まってきました。しかしかれは長い間、痛みを訴えないでいました。四日たちました。地形も景色もあまり変わりません。ただかれらの背後では、風見が丘が少しずつ沈んでゆき、その代わり前方のはるかに遠い山々がわずかに近く見えてきました。しかしあの遠い叫び声を耳にしてからこのかた、敵がかれらの逃走に目を向けているような、あるいはあとを追っているような様子は、まったく見られず、聞かれませんでした。かれらは暗い夜の時間を恐れ、夜は二人ずつ見張りを勤めました。いつ何時《なんどき》、黒い姿をした者たちが、雲に隠れた月の光におぼろに浮かんで、うす暗い夜の闇の中をそっと忍び寄って来るかもしれないと思ったのです。しかしかれらは何も見ませんでしたし、枯れた葉や草がかすかに風に鳴るほかは何も聞きませんでした。しかしあの谷で襲撃を受ける前にかれらを襲った、近くに敵がいるという感じは一度ならず感ぜられました。乗手たちが早くもふたたびかれらのあとを見失ったと考えるのは虫がよすぎるようでした。おそらくどこか狭い場所で待ち伏せをしようとねらっているのでしょう。

五日めの終わり頃、地面はもう一度少しずつ上りになってきました。下り斜面を下りてはいり込んでいた広い浅い谷間から今度は出るところでした。馳夫《はせお》はふたたび進路を北東に向けました。そして六日めには長い緩やかな上り斜面の一番高いところに着きました。はるか前方に、木の茂った丘がいくつもかたまっているのが見えました。その山塊の麓《ふもと》を街道がぐるっと回っているのを見ることができました。右手には薄い陽の光を受けて、灰色の川がおぼろに光っていました。さらに遠くには、半ば霧に隠れた岩の多い谷間をまた別の川が流れているのが望まれました。

「ここでしばらく街道に戻らなければならないと思う。」と、馳夫がいいました。「われわれはいよいよにびしろ川まで来た。エルフたちはこの川のことをミスエイセルと呼んでいる。これは裂《さ》け谷《だに》の北のトロルの山、エテン高地から流れ出し、ずっと南で鳴神川に合流している。それから先は灰色川とも呼ばれている。あとは、大河となって海にそそぐ。エテン高地の源から流れ出てからこの川を渡るには、街道が通っている果野《はての》橋を渡るほかには方法がない。」

「ずっと向こうに見えるもう一つの川は何ですか？」と、メリーがたずねました。

「あれが鳴神川、裂け谷のブルイネンだ。」と、馳夫は答えました。「街道は橋からブルイネンの浅瀬まで何マイルにもわたって山塊の麓《ふもと》に沿って走っている。しかし川をどうやって渡ったものか、わたしはまだ考えていないのだ。今はまずこちらの川のことだ。果野橋が敵の手に握られてないとすればまったく運がいいというほかはない。」

次の日の朝早く、かれらはふたたび街道のきわまでやって来ました。まずサムと馳夫が様子を見に行きましたが、旅人の姿も馬に乗った者の姿も見られません。ちょうど山陰になるこのあたりは、雨が降って地面が濡れていました。馳夫は雨が降ったのは二日前で、足跡はその雨ですっかり洗い流されてしまったものと判断しました。かれの見る限りでは、それからあと馬に乗った者の通った形跡はないようでした。

かれらは全速力で街道を急ぎました。そして一、二マイル行ったあと、前方に果野橋が見えて来ました。橋は短い急な斜面を下りていったところにありました。かれらは今にもそこに待ち伏せている黒い姿がいくつか見えるのではないかと恐れましたが、一人も見られませんでした。馳《はせ》夫《お》は街道のそばの茂みにホビットたちを隠して、様子を見に出て行きました。

間もなくかれは急いで戻って来ました。「敵のいそうな様子はなかった。」と、かれはいいました。「これはどういうことなのかふしぎでならない――が、わたしは一つ大変妙な物を見つけて来た。」

かれは片手を差し出し、薄い緑色の宝石を一つ示しました。「これを、橋の中ほどの泥の中で見つけたよ。」と、かれはいいました。「これはエルフの石、緑柱石《ベリル》だ。わざとあそこに置かれたものか、それとも偶然落とされたものか、わたしにはわからない。しかしこの石はわたしに希望をもたらしてくれる。わたしはこれを、橋を渡っても大丈夫というしるしと考えよう。しかしそれから先は、よほどはっきりしたしるしがない限り、そのまま街道を進むことはできかねる。」

すぐに一同はまた歩き始め、無事に橋を渡りました。橋げたの三つの大きなアーチに渦巻きながらぶつかる水のほかに物音は聞かれませんでした。一マイルほど進むと、狭い峡谷に出ました。その峡谷は街道の左手の急峻な山々の間を縫って北の方に続いていました。ここで馳夫は街道をそれ、間もなく一行は黒っぽい木の生えた薄暗い森林地帯にはいり込みました。森林は陰気な山々の麓《ふもと》をくねくねと取り巻いているのでした。

ホビットたちは気の滅入るような土地を離れ、危険の多い街道をあとにしたことを喜んだものの、この新しい土地も危険をはらんでいるような親しみのないものに見えました。進むにつれ、まわりの山々はだんだん高くなってきました。山の高みや尾根のあちこちに、昔の石の城壁や、塔の名残がちらちらと目につきましたが、それらは不気味な感じでした。小馬の背にゆられていくフロドは、前方に目をこらしたり、考えたりするゆとりがありました。かれはビルボから聞いた旅の話や、街道の北の山々に脅やかすように立つ塔の話を思い出しました。それらの塔の聳《そび》える山々はビルボが最初の大冒険に出会ったトロルの森に近いところにあるということでした。フロドは今やその同じ場所に自分たちがさしかかったに違いないと考え、ひょっとしてビルボの冒険の地点を通るようなことがあるのではないかと思いました。

「この土地にはだれが住んでいるのですか？」と、かれはたずねました。「そしてこの塔はだれが建てたのでしょう？　ここはトロルの国ですか？」

「違う！」と、馳夫はいいました。「トロルは何も建てない。この土地にはだれも住んでいない。昔ここには人間が住んでいた。遠い昔のことだ。しかしもう今ではだれもいない。伝説の伝えるところによると、かれらは悪しき民となったということだ。なぜならかれらは屈服してアングマールの影の下にはいったからだ。しかし、北方王国に終わりをもたらした戦いで、すべてのものが滅び去った。だが、これはもうずいぶん昔の話だから、この山々ももうかれらのことは忘れてしまっている。もっともこの土地にはいまだに影が横たわってはいるが。」

「ここにはだれも住んでおらず、昔のことを憶《おぼ》えている者もないとすれば、どこであなたはこういう話を聞かれたのですか？」と、ペレグリンがたずねました。「鳥や獣はこういった話はしないでしょう。」

「エレンディルの後継者たちは過ぎ去った昔のことを全部忘れてしまったわけではない。」と、馳夫《はせお》はいいました。「そしてわたしがいってあげられる以上にたくさんのことが、裂《さ》け谷《だに》では今なお憶えられているのだ。」

「あなたは裂け谷にはよくお出になったのですか？」と、フロドがいいました。

「よく行った。」と、馳夫はいいました。「わたしは以前あそこに住んでいたのだ。今でも戻れる時には戻っている。わたしの心はあそこにあるのだよ。しかし、たとえエルロンドのけっこうな館《やかた》の中であろうと、おとなしくすわっているのは、わたしの運命ではない。」

今や山々が一行を囲みはじめました。あとにした街道はブルイネンへと続いていますが、街道も川も、視界から隠れてしまいました。旅人たちは長い峡谷にはいりました。谷は、深くえぐれて狭く、暗くてひっそりしていました。木々は年へてねじ曲がった根を崖《がけ》の上にはわせ、幾重にも重なり合って、松林の斜面を作っていました。

ホビットたちはほとほといやになってきました。前進は遅々として、倒木や、転石などに行く手を阻まれ、道なき道を辿《たど》って進むほかありませんでした。かれらはフロドのために、可能な限り急な上りの道を避けました。それに実際問題として、この狭い谷間から上に出られそうな場所を探すことは無理でした。この山国にはいり込んでから二日たった頃、お天気があやしくなってきました。西の方から絶えず風が吹き始め、遠い大海の水がどしゃぶりの雨となって山々の暗い頂にそそぎ始めました。夜が来るまでに旅人たちはすっかりずぶ濡れとなり、わびしい野宿をすることになりました。焚火《たきび》をすることもできなかったのです。次の日になると、目の前の山々はいや高くいやけわしく聳《そび》え、已むを得ず一行は進路を変えて、北の方に向かわねばなりませんでした。馳夫も心配し始めたようでした。風見が丘を出てからかれこれ十日になり、食糧の貯えも底を尽き始めました。雨は降り続いていました。

その夜は、後ろに屏風岩を背負った岩棚で野宿をしました。屏風岩はわずかにえぐれて浅い洞穴を形作っていました。フロドはなかなか休めませんでした。寒さと雨が傷の痛みをいっそう堪えがたいものにし、その痛みと死んだように冷たい感覚が、かれから眠りをすっかり取り上げてしまったのです。かれは転々と寝返りを打ち、恐怖に怯えながら、ひそやかな夜の物音に聞き耳を立てました。岩の割れ目を吹く風、したたり落ちる雨水、何かがひび割れる音、ゆるんだ岩が突然転がり落ちる音。かれは黒い姿の者たちが自分の息の根を止めるために近寄って来るような気がしました。しかし体を起こしてみると、パイプをくゆらしながらうずくまって夜番を勤めている馳夫の背中のほかには何も見えませんでした。かれはふたたび横になって、次第に不安な夢の中にはいって行きました。夢の中でかれはホビット庄のわが家の庭の芝生を歩いていましたが、それはかすかにぼんやりとしたものでしかなく、生け垣越しにこっちを見て立っている背の高い黒い影たちの方がずっとはっきりしているのでした。

朝になって目が覚めてみると、雨は止んでいました。厚い雲がまだ空をおおっていましたが、その雲ももう切れかけていて、薄青い空がところどころ覗《のぞ》いていました。風向きもふたたび変わり始めていました。かれらは起きてすぐには出かけませんでした。冷たくてわびしい朝食をすませるとすぐ、馳夫《はせお》は他の者たちには自分が戻って来るまで、岩陰に残っているようにいって、一人で出て行きました。かれはもしできれば山の上に登って、このあたりの地形を見てくるつもりだったのです。

かれは戻って来ても、あまり慰めになることはいってくれませんでした。「わたしたちはあまり北に来過ぎてしまった。」と、かれはいいました。「もう一度南に戻る道を探さねばならぬ。今のまま進んで行けば、裂《さ》け谷《だに》のはるか北にあるエテンの谷にはいり込んでしまうだろう。そこはトロルの国で、わたしはほとんどその国のことは知らないのだ。北の方からでも抜ける道はあるだろうし、ぐるっと回って裂け谷まで行けるかもしれないが、しかし、そうすると時間がかかりすぎてしまう。わたしが道を知らないからだ。それに食べものも続かないだろう。そういうわけだからどうにかしてブルイネンの浅瀬に出ることを考えねばならぬ。」

その日はずっと岩また岩の上をよじ登って行くうちに過ぎました。かれらは二つの丘の間に道を見つけました。その道を伝って行くと、南東に走っている谷間に出ました。それは一行が望んでいた方角でした。しかし日暮れ近くになった頃、道はふたたび高い山の尾根に阻まれてしまいました。黒々と空にそそり立つその頂はまるで歯こぼれした鋸《のこぎり》の刃のように、ぎざぎざになった切先《きっさき》をむきだしていました。このまま引き返すか、それともこの山を乗り越えて行くか、かれらの取るべき道は二つに一つでした。

かれらは登ることに決めましたが、いざ登り始めてみると、とてもとてもなまやさしいものではありません。いくらもたたないうちに、フロドはどうしても馬を下りて自分の足で悪戦苦闘しながら登らなければなりませんでした。そうまでしても、まだ小馬を上へ登らせる望みはとてもないと思われることが度々ありました。それより、かれらのように重い荷物を背負っていては、自分たちが登ることさえ絶望的に思えるのでした。やっと頂上に着いた時には、陽の光はほとんど薄れ、かれらは一人残らずへとへとに疲れ切っていました。一同の登り着いたところは、二つの高い峰と峰の間の狭い鞍部でした。その少し先で、地面はふたたび急な下りになっています。フロドはどさっと体を投げ出し、ふるえながら地面に横になりました。左の腕はすっかり感覚を失っています。左半身の肩と脇はまるで氷の爪にむんずとつかまれたような感じでした。まわりの木や岩は、かれには影のようにぼんやりとしか見えませんでした。

「もうこれ以上は行けませんよ。」メリーが馳夫にいいました。「今までだってフロドには堪えられないくらいじゃなかったでしょうか。ぼくはフロドのことが心配でたまりません。どうしたらいいんでしょう？　もし裂《さ》け谷《だに》に無事到着できたとしたら、フロドは治療してもらえるんでしょうか？」

「行ってみなければわからない。」と、馳夫《はせお》はいいました。「この荒野でわたしにできることはもう何もない。わたしがしきりに道を急いでいるのも、第一にかれの傷のことがあるからだ。しかし今夜はもうこれ以上進めないことはわたしも同感だ。」

「おらのご主人はどうなすっただね？」サムは低い声でたずねると、訴えるように馳夫を見ました。「旦那の傷は小さいし、傷口ももうふさがってますだ。肩に冷たい白い傷跡があるほかは何も見えないのに。」

「フロドはわれらの敵の刃《やいば》を身にうけたのだ。」と、馳夫はいいました。「かれの傷口には何かの毒か悪い力が働いておって、わたしの腕ではそれを追い出すことができないのだ。しかし、サムよ、望みを捨ててはならないぞ！」

高い尾根で迎えた夜はしんしんと冷えてきました。かれらは浅い穴の上に枝を張り出した松の古木の節くれだった根元に小さな焚火《たきび》を燃やしました。その穴は昔石でも切り出した跡のように見えました。みんなは背中を丸めて一緒にすわりました。山道を吹き抜ける風は冷たく、木はその度にうめき声をあげ、吐息をつきながら枝先をたわめるのでした。フロドは半分夢を見ながらうとうとと眠っていました。はてしなく大きな黒い翼が頭上をかすめ飛び、その翼には追手が乗っていて、山々の窪地という窪地を自分を求めて探し回っているような気がしました。

夜が明けてみると、うららかなよいお天気でした。空気は清々しく、雨に洗われた空の光は薄青く晴れていました。気分はふるいたちましたが、冷たくこわばった手足を暖めるために太陽が待たれました。明るくなるとすぐ、馳夫はメリーを連れて、山道の東側の峰からこの地方一帯を見下ろして様子を見るために出て行きました。そしてさらに元気の出るような知らせを持ってかれが戻って来た時には、太陽はもうすっかり昇り、明るく輝いていました。今のところ一行は一応正しい方向に進んでいるということでした。この尾根の反対側を下ってこのまま行けば、左手に霧ふり山脈があるはずです。いくらか前方に馳夫はふたたび鳴神川をちらと目にすることができました。そこでかれには、今は隠れていて見えないとしても、浅瀬にいたる街道が川からあまり遠くないところにあり、それもかれらから見て、川より手前にあることがわかりました。「どうしてももう一度街道に向かわなければならない。」と、かれはいいました。「この山塊の中を通り抜ける道を見つけることは無理だ。どんな危険に襲われようと、浅瀬に向かう道は街道しかない。」

食事をすますとすぐにふたたび一同は出発しました。かれらは尾根の南側をゆっくりと下って行きましたが、下りは思っていたよりずっと楽でした。こちら側は傾斜がずっと緩やかだったからです。そして間もなくフロドはふたたび小馬の背に乗ることができました。ビルの持ち物だったあわれな老馬は道をうまく探しあてることと、乗り手にあまり振動を与えないようにするという予期しなかった才能を伸ばしつつありました。一行の意気はふたたび上がりました。フロドでさえ、朝の光を浴びて気分がよくなったような気がしましたが、時々目の前に霧がかかったようになって視界が曇るように見えました。その度にかれは両手で目をこするのでした。

ピピンはみんなより少し先を歩いていましたが、急にふり向いてみんなを呼びました。「ここに人の通った道があるよ！」と、かれは叫びました。

ピピンに追いついてみると、かれのいっていることがまちがいでないことがわかりました。確かに人の踏んだ道らしいものがそこから始まっていました。その道はくねくねと曲がりながら下の林を出て、後ろの山の頂へと続いていました。場所によってはもう跡がうすれ、草が茂り、あるいは落石や倒木でふさがれている所もありました。しかし一時はずいぶん通う者のあった道のように思われます。それは強い腕と重い足とで作られた道でした。道を通すためにあちこちで古い木が切られ、あるいは倒され、大きな岩が割られ、あるいはわきに移されたりしておりました。

かれらはしばらくの間、この道を伝って行きました。下りるのにずっと楽だったからです。しかし用心は怠りませんでした。そして暗い森の中にはいり、道幅もだんだん広くなって道らしくなってくると、かれらの心配も増してきました。突然道は帯状に延びている樅《もみ》の木の林を出て、けわしい山腹を下り、それから急に左に折れて、ごつごつした山の肩の角を曲がっていました。その角まで来て周りを見回すと、道は木々のたれ下がってはえている低い崖《がけ》の下の平らな場所に続いていました。崖の岩壁には、大きな蝶番が一つついたドアがねじ曲がったまま半開きになっていました。

ドアの外でみんなは足を止めました。ドアの向こうには洞穴か岩屋のようなものがありましたが、中は薄暗くて何も見えません。馳夫《はせお》とサムとメリーが一緒になって力いっぱい押してみて、ドアはやっと少し広く開きました。それから馳夫とメリーが中にはいりました。二人はあまり奥までは行きませんでした。というのは、床には古い骨がたくさん散らばっていて、入口付近には大きな空っぽの水差しと割れた壺のほかは何も目につかなかったからです。

「トロルの岩屋なんてものが本当にあるとすれば、まちがいなくここだね！」と、ピピンがいいました。

「二人とも出て来いよ。そしてここから離れようよ。だれがこの道を作ったのかもわかったし――だから早くこの道から離れたほうがいいよ。」

「その必要はないと思う。」馳夫が出て来ていいました。「これは確かにトロルの岩屋だが、長いこと使われてないようだ。心配するには及ばないと思うね。だが用心してこのまま下りて行ってみよう。そうすればわかるだろう。」

道は戸口からまた先へ延びていました。ドアの前の平らな場所を横切ってふたたび右に折れ、木の茂った斜面に突っ込んでいました。ピピンはまだ怖がっていると馳夫に思われたくないので、メリーと並んで先頭に立ちました。サムと馳夫がそれぞれフロドの乗った小馬の両脇につき添い、そのあとに従いました。道は四、五人のホビットが横に並んで歩けるくらいの広さになっていました。しかしあまり遠く行かないうちに、ピピンが逃げ戻って来ました。メリーもそのあとに続いていています。二人ともすっかり怯えた様子をしていました。

「トロルがいた！」ピピンが息を切らせていいました。「ここからそう下りていかない所に林があって、その中の空地です。木の間からやつらの姿が見えたんです。大きいのなんのって！」

「行って見てみよう。」馳夫《はせお》は棒切れを拾い上げていいました。フロドは何もいいませんでしたが、サムは怖がっている顔でした。

陽はもう高く昇り、半ば葉の落ちた枝を通して射し込む陽差しは、眩しいくらい明るい光を落として、空地を照らしていました。空地の縁でかれらは突然立ち止まり、息をつめて木々の間からじっと覗《のぞ》き見ました。トロルが立っていたのです。大きなトロルが三人いました。一人は前屈《まえかが》みになり、あとの二人はそのトロルを見つめて立っていました。

馳夫は平気な顔をしてすたすた前に出て行きました。「起きろ、古い石よ！」かれはそういうと、前屈みになったトロルを打って、棒切れを折ってしまいました。

何も起こりません。ホビットたちは息が止まるくらいびっくりしましたが、やがてフロドまでが笑い出してしまいました。「そうか！」と、フロドがいいました。「わが家の歴史を忘れるところだったよ。これこそ、十三人のドワーフと一人のホビットの料理法についていい争っているところをガンダルフにまんまとひっかけられた例の三人に違いないもの。」

「まさかあの場所の近くに来てたなんて全然思わなかったよ！」と、ピピンがいいました。かれはその話をよく知っていたのです。ビルボとフロドがよくその話をして聞かせたからでした。しかし実際にはかれはそれを話半分に聞いていたのです。今でもまだかれは石のトロルたちを疑わしそうな目で眺めていました、何かの魔法でかれらが突然また生き返ることもあるのじゃないかと思いながら。

「あなたたちが忘れかけていたのは家の歴史だけではない。トロルについて今まであなたたちが承知してるはずのことも忘れてしまってるのだ。」と、馳夫がいいました。「今は燦々《さんさん》と陽をあびた真っ昼間だ。それなのに、あなたたち二人は生きているトロルがこの空地でわたしたちを待ちかまえているなどという話を持ち帰って、わたしを怖がらせようとした！　ともかくよく見れば、この中の一人が耳の後ろに古い鳥の巣をつけてることに気がついたかもしれぬのに。生きているトロルがつける飾りとしてはこれほど珍しいものはない！」

みんなは声を上げて笑いました。フロドはふたたび元気が蘇《よみがえ》ってくるのを感じました。上々の結果に終わったビルボのはじめての冒険を思い起こすだけで勇気づけられたのです。陽の光も暖かくここちよく、目の前の靄《もや》も少しは晴れ上がってきたように思えました。みんなはこの空地でしばらく休み、トロルの大きな足の影の真下で昼の食事を取りました。

「日の高いうちに、だれか歌でも歌ってくれないかな？」みんなが食べ終わった頃、メリーがいいました。「もう何日も歌も歌わなければ、話も聞いてないぞ。」

「風見が丘以来だ。」と、フロドがいいました。みんなはかれの方を見ました。

「わたしのことは心配しないでくれ！」と、かれはつけ加えました。「ずっと気分はいいんだけど、歌はちょっと歌えないと思う。多分サムが何か思いだして歌ってくれるんじゃないかな。」

「さあ、歌ってくれよ、サム！」と、メリーがいいました。「あんたの頭には、あんたが出してくれる以上にいろいろしまってあるらしいもの。」

「それはおらにはわかりませんが、」と、サムがいいました。「こんなのはどうでしょう？ とても詩などといえる代物じゃありませんが。たわごとを並べただけですだ。でもこの古い像を見てるうちに心に浮かんできましたもんで。」かれは立ち上がると、まるで教室の子供のように両手を後ろに回して、古い歌のふしをつけて歌い始めました。

トロルがひとり、石の座にすわって、
古い骨くず、むしゃむしゃ、もぐもぐかじってた。
いつもいつも、かじるのはこの骨ばかり、
　肉はなかなか手に入らんと、ばい。
　　だめだとばい！　しゃくだとばい！
山の洞穴に、トロルがひとり住んでいた。

肉はなかなか手に入らんと、ばい。

そこへ来かかったトムは、大きな長靴をはいて、
トロルにいった。「そいつは、何だい？
どうやら見たとこ、おらのおじきのチムのすねっ骨《こつ》じゃ。
墓におさまっとると思ってたと、ばい。
何としたばい！　かんとしたばい！
おじきのおさらばしたは、だいぶ前、
　墓におさまっとると思ってた、」と、ばい。

トロルはいった、「お若いの、これは盗んできた骨よ。
墓の骨なんぞ、なんになるぞい？
お前のおじきは、とうに鉛の塊《かたま》りよ、
おれがすねっ骨《こつ》、見つける前に。
　すねっ骨、ばい！　鉛ぞ、ばい！
かわいそなトロルじいに、わけてもよかろ。
おじきにすねっ骨、必要なかろ」と、ばい。

そこでトムがいった、「おらにゃわからねえが、
お前のような衆が、なんでかってに持ち出しただよ、
おらのおやじの兄弟の、足っ骨《こつ》だか、すねっ骨だか。
　さあ、その古い骨、こっちに渡せ！
　どろぼう、とばい！　トロルやろとばい！
いくら死んだとて、おじきのものよ、
さあ、その古い骨、こっちに渡せ！」と、ばい。

「めっそも、こそも」とトロルはにやり、
「いっそお前も喰ってやろ。お前のすねもしゃぶってやろ。
いきのいい肉は、うまいこったろ！
　さあためしにこの歯をお前に立てよう、
　ためしに、ばい！　がぶりとばい！
古い骨皮、しゃぶるのはあきあきだ。
お前で食事がしてみたい」と、ばい。

けど、よい肉つかまえたと思ったはつかのま、
摑んだ両手に何もなかった。
気がつく前に、トムがするりと逃げて、
こらしめに長靴で一発みまった。
　こらしめ、とばい！　くそくらえとばい！
長靴で一発けつをけりゃ、
よいこらしめよ、とトムは考えた、ばい。

ところが、石より固いトロルの骨と肉、
いつもひとりで山にすわってるから、
山の岩根けっとばしたも同じことよ、
　トロルのけつは、とんと感じない。
　どんけつとばい！　とんまとばい！
トムがうなるの聞いて、トロルは大笑い、
　トムの足こそ、したたか感じた、とばい。
脚をひきずり、ひきずり、トムは家に帰った。

長靴なくした片足は、一生なおらなかった。
けれどトロルは平気の平左で、今もそこに座って、
盗んだ骨をたべてる、今もたべてる。
平気で、とばい！　盗んで、とばい！
トロルの石の座は、まだ変わらない、
盗んだ骨をたべてる、とばい。

「おやおや、これはぼくたちみんなへの警告だね！」メリーが笑いながらいいました。「馳夫《はせお》さん、手でなくて棒切れでよかったですね！」

「どこでそんなの覚えたんだい、サム？」と、ピピンがたずねました。「こんなのぼく、今まで一度も聞いたことないな。」

サムは、何かぼそぼそと聞きとれない小さな声で、呟《つぶや》きました。「もちろん、サム自身の頭から出て来たのさ。」と、フロドはいいました。「この旅のおかげで、サム・ギャムジーのことがずいぶんわかって来たよ。かれは最初は陰謀家の一人だった。今度は道化師だ、おしまいには魔法使になるよ——それとも戦士かな！」

「いやですだ。」と、サムはいいました。「おらはどっちにもなりたくないですだ！」

午後になって、一同は林の中をなおも下って行きました。かれらの通っている道はおそらくガンダルフやビルボやドワーフたちが何十年も昔に通ったその道に違いありません。何マイルか歩くと、街道の上の高い土手のてっぺんに出ました。このあたりでは、街道は狭い渓谷を流れるにびしろ川をはるかあとに引き離し、山塊の麓《ふもと》にぴったり沿って東に向かい、散在する森やヒースにおおわれた山腹の間を起伏したりうねったりしてブルイネンの浅瀬と霧ふり山脈の方へ続いていました。土手からあまり下らないところに芝草が生えていて、そこに石が一つ置いてあるのを馳夫が指さしました。その石には、雨風にさらされてかなり摩滅はしていますが、乱暴に刻まれたドワーフのルーン文字と秘密のしるしが、今でもまだ認められました。

「ほーら！」と、メリーがいいました。「あれこそトロルの黄金が隠してある場所をしるした石に違いないよ。ビルボの分け前はどのくらい残ってるんですか、フロド？」

フロドはその石に目をやりながら、ビルボが持ち帰った宝がせいぜいこの程度のものであってくれたらよかったのに、より危険で、手離し難《にく》いものを持って帰ってくれなければよかったのにと思いました。「ちっとも残ってないよ。」と、フロドはいいました。「ビルボはすっかり人にくれてしまったんだ。わたしにいってたけど、元はといえばトロルたちが人から奪ったものなのだから、本当に自分のもののような気がしなかったのだね。」

街道は夕暮れ間近の長い影の下に静かに伸びていました。ほかの旅人たちの姿はどこにも見られません。ほかに取るべき進路も見あたらないまま、かれらは土手を下り、左に折れてできるだけ速く進みました。間もなくつるべ落としの没日《いりひ》の光は、山の肩に遮ぎられてしまいました。前方の山脈から冷たい風がかれらを迎えるように吹きおろして来ました。

その夜の野宿のために、街道をはずれた所に適当な場所を探し始めた時、かれらは突然心に恐怖を呼び戻す音を耳にしました。後ろの方に馬の蹄《ひづめ》の音が聞こえたのです。かれらは後ろをふり向いて見ましたが、街道は幾重にもうねりくねっていましたので、遠くを見通すことはできませんでした。みんなはできるだけ大急ぎで道を離れ上の斜面にこんもり茂ったヒースとこけものの茂みの中をよじ登り、やっと隙間なく生い茂ったはしばみの茂みに辿《たど》り着きました。茂みの間からそっと覗くと街道が見えました。三十フィートばかり下の方に、うすれてゆく黄昏《たそがれ》の光の中にほの白くかすんで見えました。馬の蹄の音はだんだん近づいてきます。それはカッカッカッという軽やかな音を立て、速やかに進んで来ました。それからまるでそよ風に運ばれて来たように、小さな鈴がいくつもチリンチリンと鳴るような、何かがかすかに鳴り響く音をわずかに耳にとらえたような気がしました。

「あの音は黒の乗手の馬のようじゃないな！」フロドは一心に聴き耳を立てながらいいました。あとの三人のホビットたちも顔を明るくしてそれに同感しましたが、まだ疑いの気持ちでいっぱいでした。あんまり長い間追手を恐れて旅を続けてきたので、後ろから聞こえてくる物音はすべて不吉で敵意あるものに思われたのです。しかし馳夫《はせお》は地面に屈《かが》みこむように体を乗り出し、片手を耳にあてました。そしてその顔に喜びの色が浮かびました。

日の光は薄れ、茂みの木の葉がかすかにさわさわと鳴りました。リンリンと鈴の鳴る音はますます近くますますはっきりしてきました。カッカッと疾走する蹄《ひづめ》の音も近づいて来ました。突然下の街道に白い馬が一頭見えて来ました。薄暗がりにその白い姿をきらめかせ、風のように走って来ました。頭からくつわにかけたおもがいは、輝く星々を宝石にしてちりばめたかのように、夕闇にちらちら明滅する光をきらめかせていました。乗手はマントを後ろになびかせ、頭巾を背にかなぐり脱いで疾走しながら、自らまき起こす風に金髪をきらきらとなびかせていました。フロドには、薄いベールをすかすかのように乗手の体と着ているものを通して、白い光が輝き出てくるように思えました。

馳夫は隠れ場から跳び出すと、一声叫び声をあげて、ヒースの間を躍り抜け、街道に向かって走り下りました。しかしかれが跳び出すなり、あるいは呼ばわるなりする前に、乗り手は手綱をしめて馬を止め、かれらのいる林の方に目を上げました。馳夫を見ると、かれは馬を降り、走りながらかれを出迎えて呼ばわりました。「アイ　ナ　ヴェドゥイ　ドゥナダン！　マイ　ゴヴァンネネン！」その言葉と鈴の鳴るような澄んだ声を聞いて、ホビットたちの心にはもう何の疑念も残りませんでした。乗手は疑いもなくエルフ族の一人でした。この世界広しといえど、このように耳に美しく響く声の持ち主はエルフのほかにはいないのです。しかしその呼ばわる声には心なしかあわただしさと不安の響きがあるように感じられました。そしてホビットたちが見ていると、今やかれは切迫した様子で早口に馳夫《はせお》に話しかけていました。

間もなく馳夫はホビットたちを手招きしました。ホビットたちは林を去って、急いで街道に下りました。「こちらはグロールフィンデル、エルロンドの館《やかた》に住んでおられる。」と、馳夫はいいました。

「やあ、やっとよいところで会いましたね！」エルフの殿はフロドに言いました。「わたしは裂《さ》け谷《だに》からあなたを探しに遣わされた者だ。あなたが途中危難に遭われたかと気づかっていたところ。」

「それではガンダルフはもう裂け谷に着いたのでしょうか？」フロドは喜ばしそうに叫びました。

「いや、わたしが出かける時にはまだだった。しかしそれは九日も前のこと。」と、グロールフィンデルは答えました。「エルロンドは気がかりな知らせを受けた。わたしの一族の者がバランドゥイン川（ブランディワイン川のこと）のさき、あなた方の国を旅するうちに、事態が悪化したことを知って、あたう限りの速さで言伝てを伝えて来た。かれらは九人組が国外に出たことを伝え、ガンダルフが戻らないため、あなたが導き手もなく重荷を負ってさ迷っておられるといって来た。九人組に向かって公然と馬を走らす者は、裂け谷にもわずかしかいない。しかしいる限りの者を集めて、エルロンドは北に西に南に送り出した。あなたが追手を避けて、あまりにも遠く道をそれ、荒野に迷ってしまわれたものと、考えられたから。

「わたしの役目は、街道を行くことだった。そこでわたしはミスエイセル橋まで行き、しるしを残してきた。かれこれ七日前のこと。サウロンの僕《しもべ》どもの三人が橋の上にいた。しかしかれらは退き、わたしはかれらを西に追って行った。わたしはまた別の二人に出会った。しかしかれらは方向を転じて南に去って行った。それ以来わたしはあなた方の通った跡を探して来た。二日前、わたしはそれを見いだし、そのあとを追って橋を渡った。そして今日、わたしはあなた方がふたたび山から降りて来た個所を見つけた。しかし、行こう！　これ以上いろいろ話し聞かせる暇がない。あなた方にここで出会った以上、危険を冒しても街道を行かねばならない。わたしたちの後ろに、五人がいる。かれらがあなた方の足取りを街道に見いだしたとなると、風のように馬を飛ばせてあとを追って来よう。それに、かれらは全員ではない。残る四人がどこにいるのか、わたしは知らない。わたしはあの浅瀬がすでに敵の手に握られているのではないかと、気がもめるのだ。」

グロールフィンデルが話している間に、夕闇が深まってきました。フロドはひどい疲労感に襲われるのを感じました。陽が沈み始めてから、目の前の靄《もや》は暗さを増し、かれは自分と友達の顔の間に影がはいり込んできたのを感じました。ふたたび痛みが襲ってきて、寒くてたまらなくなりました、かれはよろけて、サムの腕につかまりました。

「旦那は怪我をしてご気分がよくねえだ。」サムが怒ったようにいいました。「日が暮れてから旅を続けるのは無理ですだ。旦那は休まなくちゃなんねえです。」

グロールフィンデルは地面にくずおれようとするフロドを抱き止め、やさしく両腕に支え、深い懸念を浮かべてその顔を覗《のぞ》き込みました。

馳夫《はせお》は風見が丘の山腹で野宿している時、敵の襲撃を受けたことと、恐ろしい短剣のことをかいつまんで話しました。かれはあれからずっと持っていた例の剣の柄《つか》を取り出し、エルフに手渡しました。グロールフィンデルはそれを受け取る時、身ぶるいしましたが、熱心にそれに目をそそぎました。

「この柄には悪しきことが書かれている。」と、かれはいいました。「あなたの目ではご覧になれないかもしれないが。アラゴルンよ、エルロンドの館《やかた》に着くまで、しっかり持って行ってくれまいか！　だが、よくよく注意して、できるだけこれに手を触れないように！　ああ！　この刃による傷を癒《いや》すのは、わたしの腕では及ばぬ。わたしとてできる限りのことをするつもりだが——こうなればなおさら、休まずに無理にでも旅を続けられるように申し上げたい。」

かれはその指でフロドの肩の傷を探りましたが、その傷のただならぬことを知って懸念するかのように、かれの顔はますます憂色を深めました。しかしフロドの方は、脇から腕にかけて感じていた冷たさが薄れ、肩から手へと少しずつぬくみが伝わって来て、痛みもやわらぐように思えました。かれを包む夕闇も、まるで雲が退《しりぞ》くように薄れてゆくように思われました。友人たちの顔もふたたびはっきり見えてきて、新たな希望と力が少しは戻ってきました。

「わたしの馬に乗りなさい。」と、グロールフィンデルがいいました。「あぶみの長さを鞍掛けのあたりまで短くしておこう。その代わりあなたはできるだけ腰を据えてすわっていなされ。しかし心配は無用。わたしの馬はわたしが乗せろと命じた者ならどんな乗手だろうとふり落としたりはしないから。その歩みは軽く、むらがない。かりに危険が非常に身近に迫ったとしても、敵の黒い馬の及ばぬ速さであなたを運び去るだろう。」

「いいえ、いけません！」と、フロドはいいました。「わたしは乗りません。裂《さ》け谷《だに》だろうとどこだろうと、たとえどこに運んでもらうにしろ、友人たちを危ない目に会わせたままわたしだけ乗るわけには行きません。」

グロールフィンデルはにっこりしました。「それはどうだろうか、」と、かれはいいました。「あなたが一緒でなければ、お連れのみなさんが危険な目に会われることもないのではなかろうか！　追手たちはあなたのあとを追い、わたしたちには目もくれまい。わたしたちを危険におとしいれるのは、フロドよ、あなただ。そしてあなたが持っているものなのだ。」

それには、フロドも答える言葉がなく、グロールフィンデルの白馬に乗ることをとうとう承諾させられてしまいました。その代わり小馬にみんなが分け持っていた荷物の大半を乗せましたので、一同は前より身軽に進むことができました。そしてしばらくの間はかなり速い速度で進みました。しかしホビットたちはそのうち疲れを知らぬエルフの速い足について行くことは並みたいていでないことがわかってきました。かれは一同の先に立って、ぽっかりと口を開く闇の中に入り、雲の垂れこめた夜空の下をなおも進んで行きました。星も見えず、月もありません。しらじらと夜が明け始めるまで、かれは一同に休息を許しませんでした。その頃になると、ピピンとメリーとサムはもつれるような足取りで半分眠ったまま歩いていました。馳夫《はせお》でさえ肩を落として歩いているところを見るときっと疲れているのでしょう。フロドは馬にすわったまままうとうととと暗い夢を見ていました。

一同は道から数ヤードはいったヒースの原に身を投げ出し、たちまち眠り込んでしまいました。かれらとしては目を閉じたとも思わないうちに、その間不寝番を買って出たグロールフィンデルにまたもや起こされてしまいました。朝日はもうかなり高く昇り、夜霧も雲も上がっていました。

「これを飲みなさい！」グロールフィンデルはそういって、銀鋲打った革の水筒からみんなに順々に飲みものをそそぎ入れてくれました。それは泉の水のように澄んでいてなんの味もなく、口に入れて冷たくも暖かくもありませんが、飲むうちに、力と活力が四肢に流れ込むように思えました。その液体を飲み干したあとに食べると、固くなったパンも乾し果物も（今ではもうこれだけしか残っていないのです）、ホビット庄で始終食べていた上等の朝御飯にも増して一同の餓えを満たすように思われました。

五時間も休まないうちに、かれらはふたたび街道に出ました。グロールフィンデルはなおも一同に歩き続けることを強く求め、小休止をわずかに二回許したほかは一日中みんなを歩かせました。こうして夜がくるまでに二十マイル近くを踏破することができ、ちょうど街道が右に折れ、そのまま谷底に降りていって、あとはブルイネンにまっすぐ向かっている地点までやって来ました。今までのところ、ホビットたちの見聞きする限りでは、追手の姿も見えず、音も聞こえませんでした。しかしみんなの足の運びが遅くなると、グロールフィンデルはしばしば立ち止まって、じっと耳を傾け、その度に心配そうに顔を曇らせました。一、二度、かれはエルフの言葉で馳夫に話しかけました。

しかし案内人たちの不安がどんなに募《つの》ろうと、その夜ホビットたちがもうこれ以上進めないことは明らかでした。かれらは目まいがするほど疲れ果て、もつれる足でよたよたと歩き、ひたすら自分の足のことしか考えられない有様でした。フロドの傷の痛みはいや増し、昼の間も、周りの事物はすべて、もうろうとした灰色の影のように色褪《あ》せて見えました。かれは夜の来るのをむしろ喜びたいくらいでした。夜になれば世の中もこれほど色褪せ空虚なものには見えないでしょうから。

ホビットたちは疲れが癒《いや》されないまま、次の朝早くふたたび出発しました。浅瀬まではまだまだ何マイルもあります。かれらは足をひきずりながら、できる限りの速力で進みました。

「危険がもっとも身に迫るのは、川に到着する直前のことだろう。」と、グロールフィンデルがいいました。「追手が今や速やかにわたしたちの背後に迫り、浅瀬では別の危険が待ちうけているかもしれぬ予感がある。」

街道はなおも少しずつ下りになっていました。そして道の両側にはところどころ草のたくさん生えたところがあり、ホビットたちは疲れた足を休めるために、歩ける時はそこを歩くのでした。午後も晩《おそ》くなって、一行は街道が突然丈の高い松の木立ちの暗い木陰にはいり込み、それから急に下りとなって、じめじめした赤い石の傾斜の急な壁でかこまれた深い切通しの中に突っ込んでいる場所に来ました。その切通しを急ぐ一同の足音が反響し、一同のあとからたくさんの足音が迫って来るように聞こえました。その切通しも、いきなり、まるで光の門をくぐったかのように、終わりとなり、街道はふたたび開けました。眼前の急な斜面の底に坦々と一マイルほどつづく街道が見えました。その先に裂《さ》け谷《だに》の浅瀬があるのです。浅瀬の向こう側は急な茶色の土手になり、土手には小道がくねくねとはい上っていました。その先には高い山々が肩に肩を、峰に峰を重ねて聳《そび》え、その果ては薄れてゆく空にとけ込んでいました。

あとにしてきた切通しから、追跡の足音のような反響がまだ聞こえてきます。風が起こり、松林を吹き抜けるような、何かが駆け抜ける音です。グロールフィンデルはしばしふり向いて聞き耳を立てたと思うや、大声を発してぱっと走り出しました。

「逃げろ！」と、かれは叫びました。「逃げろ！　敵が追って来た！」

白い馬は身を躍らせて駆け出しました。ホビットたちは斜面を駆け下りました。グロールフィンデルと馳夫《はせお》は後ろを守って、追いかけて行きました。平地を半分も横切らないうちに、突然馬の駆ける音が聞こえて来ました。たった今一同があとにして来た木立ちの中の切通しの出口から、黒の乗手が一人走り出て来ました。かれは手綱を御して馬を止め、鞍に腰を据えたまま、体を揺り動かしました。かれのあとにまた一人、そしてまた一人、そしてさらに二人が続いて現われました。

「さきへ！　進め！」グロールフィンデルはフロドに向かって叫びました。

かれはすぐにはそれに従おうとしませんでした。妙に気が進まなかったのです。馬が走り出さないように手綱を引いて、かれは後ろをふり向きました。大きな馬にまたがった乗手たちの姿は、黒々と、がっしりと、人を脅《おびや》かす彫像のように丘の上につっ立って見えました。周りの森も土地も、たちまち霧がかかったようにかすんでうつりました。不意にかれはかれらが立ち止まるように無言のうちに命じているのだということに気づきました。するとたちまち恐怖と憎しみが心に目覚めました。かれの手は手綱を離れ、剣の柄《つか》を握りしめました。かれが刃《やいば》を抜くとともにぱっと赤い光がひらめきました。

「行け！　行け！」グロールフィンデルは叫びました。それからかれは大きなはっきりした声で馬に呼びかけました。それはエルフ語でした。「ノロ　リム、ノロ　リム、アスファロス！」

白い馬はたちまち身を躍らせ、街道の最後の一丁場を風のように走り去って行きました。ちょうどその時、追手の黒い馬たちが跳ぶように斜面を駆け下りて来ました。そして乗手たちから一せいに恐ろしい叫び声が発せられました。以前フロドが聞いた叫び声、今は遠く離れた東四《し》が一《いち》の庄の森を恐怖で満たしたあの叫び声でした。それに答える叫び声が起こって、ずっと左手の木や岩の間からさらに四人の乗手たちが飛び出し、フロドと友人たちを狼狽させせました。そのうち二人はフロドに向かって馬を走らせ、あとの二人は、かれの逃げ道を断つために、浅瀬に向かってすさまじい勢いで駆け出しました。フロドにはかれらがまるで風のように駆け、その進路がだんだんかれの方に寄って来るにつれ、その姿がみるみる大きさを増し、黒さを増すように思えました。

フロドは一瞬肩越しに後ろをふり向きました。友人たちの姿はもう見えません。すぐあとを追う乗手たちとの間がだんだん開いて来ました。乗手たちの大きな馬でさえ、グロールフィンデルの白いエルフ馬の駿足にはかなわないのでした。かれはふたたび前を見て、望みが薄れました。待ち伏せているあとの二人に進路を断たれる先に浅瀬に辿《たど》りつける見込みはないように思われました。今やかれはその二人の姿をはっきりと見ることができました。かれらは頭巾と黒いマントを脱ぎすて、白と灰色の長衣をまとった姿を現わしていました。蒼白い手に抜身の剣を握り、頭に兜《かぶと》をかぶっていました。その冷たい目はぎらぎらと光り、恐ろしい声でフロドに呼び掛けてきました。

フロドの心はいま、恐怖でいっぱいでした。もはやかれは剣のことも考えず、口からは叫び声も洩《も》れませんでした。かれは目を閉じ、馬の鬣《たてがみ》にしがみつきました。

風がヒュウヒュウと鳴り、馬具につけた鈴が狂わしくけたたましく鳴りました。死のように冷たい息が、槍《やり》のようにかれを刺しました。エルフ馬は最後の力走をかけ、白くひらめく一むらの炎のように、天《あま》がけるばかりの速力で疾駆して、最先頭の乗手の顔の真ん前を駆け抜けました。

フロドはざぶんという水の音を聞きました。足の周りに水が泡立ちました。馬が川から出て石のごろごろする小道を必死に上る時、フロドは馬のせわしい呼吸づかいと腹の波打ちを感じました。馬は今急な土手を登っているのでした。浅瀬を渡り終えたのです。

しかし追手はすぐ後ろに迫っていました。土手を登りきると、馬は立ち止まって、荒々しく嘶《いなな》きながらくるりと向きをかえました。目の下の川の縁には九人の乗手がいました。九人のふりあおいで脅《おびや》かす顔を前にして、フロドの勇気は萎えて行きました。乗手たちもかれと同様やすやすと川を渡るに違いありません。そして一度《ひとたび》乗手たちが渡り切ってしまったら、この渡しから裂《さ》け谷《だに》の縁までの長い不確かな道を逃げおおせようとしても詮《せん》ないことと感じられました。いずれにせよ、かれは止まれと強く命令されていると感じました。ふたたび憎しみが心にかき立てられましたが、かれにはもはやその命令を拒む力はありませんでした。

突然先頭の乗手が馬に拍車を入れて、前に進み出ました。馬は水ぎわで立ち止まり、後ろ足で立ち上がりました。フロドはかろうじて上体をまっすぐに立て直し、剣をふり回しました。

「帰れ！」と、かれは叫びました。「モルドールの国に帰って、二度とわたしのあとを追うな！」自分の耳に聞こえた自分の声は細い金切り声でしかありませんでした。乗手たちは立ち止まりましたが、フロドにはボンバディルの威力はありません。かれの敵たちはぞっとするような耳ざわりな声をあげてかれを嘲笑《あざわら》いました。「戻って来い！　戻って来い！」と、かれらは呼びかけました。「モルドールにお前を連れて行こう！」

「帰れ！」かれの声は囁《ささや》くようでした。

「指輪を！　指輪を！」かれらは敵意にみちた声で叫びました。そして乗手たちの首領は直ちに馬を駆って水の中に進み出ました。そのあとをすぐ二人の乗手が続きました。

「エルベレスと美しきルシアンの御名《みな》にかけて、」フロドは最後の力をふりしぼってそういうと、剣をふりかざしました。「指輪もこのわたしも、お前たちにわたすものか！」

その時、浅瀬を半ばまで渡った首領があぶみに足をかけたまま威嚇《いかく》するように立ち上がり、片手を上げました。フロドは突然口が利《き》けなくなりました。舌が顎《あご》にくっつき、心が悶え苦しむのが感ぜられました。かれの剣は折れて、そのふるえる手から落ちました。エルフ馬は後ろ足で立って荒い鼻息を吐きました。一番先頭の黒い馬は今にも岸に足を着けようとしました。

その時、ごうごうと鳴る奔流の音が聞こえました。水流がたくさんの石を転がしてくるひびきでした。目の下の川の水かさが増してくるのが、フロドの目にぼんやりと映りました。川の流れに沿って羽飾りをつけた騎兵隊のような波頭が現われました。その波頭には白い焔《ほのお》がちらちらゆらめいているようにフロドには思えました。そして流れる水のただ中に、泡立つ鬣《たてがみ》を持った白い馬に白い乗手たちが乗っているのを見たような気がしました。まだ浅瀬の中にいた三人の黒い乗手たちは水中に没しました。かれらの姿は見えなくなり、怒り狂う泡立つ水の下に突然沈んでしまったのです。まだ向こう岸に残っていた者たちはあわてて退きました。

弱まっていく意識の中で、かれは叫び声を聞きました。そしてかれは、岸辺にたじろぐ黒い馬の乗手たちの向こうに、白い光を放って輝く姿を見たように思いました。そしてその背後には影のような小さな姿の者たちが焔《ほのお》をゆらめかせて走って行き、焔があたりをおおい始めた灰色の靄《もや》の中に赤々と燃えるのを、見たようにも思いました。

黒い馬たちは狂気にとらえられ、恐怖に駆られて、乗手ごと奔流の中に身を投じました。かれらのつんざくような叫び声は、かれらを運び去る轟《とどろ》く水の音にかき消されてしまいました。それからフロドは自分が落馬するのを感じました。轟音《ごうおん》と混乱が起こり、かれを敵もろとも呑み込んでしまったように思えました。フロドにはそれ以上何も聞こえず、何も見えませんでした。

訳者あとがき

ここに紹介する『指輪物語』は、イギリスの言語学、古文学、伝承学の碩学であるトールキン教授の書いた「The Lord of the Rings」で、この巻はその第一巻です。この長大な三部作は、

「第一部　旅の仲間　The Fellowship of the Ring」

「第二部　二つの塔　The Two Towers」

「第三部　王の帰還　The Return of the King」

となって、原書は各部一冊で、第一部が一九五四年、第二部も同年、第三部が一九五五年に刊行されたものですが、各部はそれぞれ前後篇にわかれていますから、この邦訳では便宜上、全三部を篇にしたがって六冊にわけて出すことにしました。

「指輪物語」は、現代の成人文芸にはまことに稀なファンタジー（空想物語）という文学形式をとっています。ファンタジーのおおかたが、神話や伝説、または昔話のような伝承であるか、それらを模した超自然物や魔法のあらわれる子どものためのいわゆる童話に限られているために、かつて、「オデュッセイア」や「イリアッド」、「失楽園」や「神曲」のようなファンタジーが成人のために書かれたことが忘れられてきました。トールキンは、はじめ一九三〇年代に、その深

い伝承造詣を駆使して、四人の自分の子どもたちに、宝物を求めにゆく冒険にみちたファンタジー一篇を作りあげました。それは、今は去ったエルフたちがまだ多く見られた太古のころ、ドワーフ小人よりやや小さいホビット族という平凡な小人族のひとり、ビルボ・バギンズが、五月のある日ドワーフ小人十三人にどかどかとふみこまれて、彼らの父祖の宝を奪った竜の住む山へ、忍びの者として随行することになり、その遍歴の途次、山で森で湖で、のっぴきならぬ冒険をくぐったすえに、竜退治となり、三軍の合戦となって、故郷に帰るという物語でした。ところがそれを書きあげて、出版（一九三七年）するまでのあいだに、はやくも、トールキンには次のファンタジーの構想がなり、さきの『ホビット（邦訳ホビットの冒険）』の副次的な話種であった隠身の指輪が、いつしか大きく大きく成長して、子どもの物語を脱した成人のためのファンタジーとして、書きはじめられるにいたりました。

いったいトールキンには、一九三八年にセント・アンドルーズでのアンドルー・ラング記念講演でおこなった『妖精物語について』という本格的なファンタジー論があって、多くの人がそれをこの種の最良の論考だとしていますが、そのはじめに、彼は、ファンタジーが子どもに読まれてよいものなら、なおのこと成人にあてて書かれ読まれてよいはずだし、成人の方がずっとわかり、多く得るものがあるだろうと述べています。一九三六年から書き出された『指輪物語』は、叙事詩的な長篇ファンタジーとしてごくゆっくりと書き進められ、一九三九年に第二次大戦が勃発したためにますます速度はおちて、一九四一年の末にようやく第一部（一巻と二巻）が完了する始末。つづく三年間に三巻と五巻の半ばが着手されて、一九四四年から五年間は四巻と五巻の後半が書きつがれたあと、六巻に数年をついやして、ようやく全体をまとめ、推敲して、一九五四年に、はじめの四巻二冊が上梓されたといいます。

こうして二十年近く書きつづけて成った原稿を、トールキンは時々身近い人々に見せたり読んできかせたりすることがありました。一九四四年ごろからイギリス空軍に属して南アフリカに在った末子のクリストファ（この人が現在オクスフォードで父に代っての教授の席をおそっているそうです）は、時々送られてくる原稿を読みましたし、モードリン学寮に住む同僚のC・S・ルイス教授も時に朗読をきくことを得ました。死後に編纂されたルイスの書翰集に、その消息を伝えるものがいく通かあって、名高いナルニア国ものがたり七巻を残したこの作家にこの物語が強い影響を与えたらしい様子がわかります。「トールキンが月曜の朝私の室にたちよって一杯やるのがきまりになりました。これが週間でいちばん楽しい一ト時です。学校行政のことや、詩の批評をしたり、神学や国情にわたる話をしたりします」（一四五ページ）、「いつもの木曜会（ルイスが主張して、気の合った同僚の雑談する、有名な仄聞会《インクリングス》というのができて）がお流れになり、私がトールキンの室にゆきました。とてもゆかいな晩になり、ジンとライム・ジュースをのんで、彼は新ホビットを、私は痛みの問題を読みました」（一七二ページ）こんな二人ですのに、ほかの人にむかって、ルイスはトールキンを「偉大ですが、ぐずで手順のない人です」といい、トールキンはルイスを「やたらにいそがしい人で」といっていました。

『指輪物語』の第一冊が出ますと、ルイスは、批評（タイム・アンド・タイド「神々地上に帰る」）に「われら中つ国の住民たちは、たちまちにして、消えさった文明と失われた豪華の思い出に胸をうたれ、はげましをうけた」と述べました。またアメリカでは同じころ詩人オーデンは、（ニューヨーク・タイムズで）「この本は、私たちの知る唯一の自然であるこの私たち自身を浄玻璃にかけ、新しい神話として私たちの魂を暖めてくれる」と評しました。本国のイギリスでは、比較的冷静にトールキンの新作を迎えたようでしたが、アメリカでは次第に激しい歓迎に転じました。アメリカでの学生や知識人層での、ベストセラーなどの流行現象と別な特別な熱狂は、いく年か前にゴールディングの『蠅の王』がまきおこしましたが、それについで『指輪物語』は、それよりもはるかに長く深くはげしく支持されるにいたりました。私のきいた見聞談では、各地に指輪クラブ、トールキンクラブができ、学生のなかには胸に「ガンダルフを大統領に！」というバッジをつけてデモっている者たちがいたということで、ずいぶん長期のブームとなり、ごく最近まで各誌に特集があったりした模様です。思うに、トールキンの物語にある神話世界の浄化作用が、支柱のない学生に福音となったことはたしかでしょうが、一面この国の経ているいわれない長い戦争への呪詛が、物語に内在する戦争否定に共感したところもあるのではないでしょうか。

トールキンによれば、ファンタジーは、現実の世界ではなく、そのうつしであって、その作家は、その造物主の業を習い手伝う立場に立ちます。現実の世界には一般に真美は顕在せず、暗示的で隠れてみえませんが、想像力のある目で見れば偉大で純粋で訴えかける驚異にみちていますから、そういう第一世界から、造物主の錯雑しつつ均衡のとれた生きた度合を破らずに、その象徴として第二世界をつくることがファンタジーとなり、そういう神話的な神秘の密度ある真美をあらわそうとするファンタジーというものは、「エルフの技《わざ》」だというのです。「馬や犬や羊に目をひらくためには、セントールや竜にであう必要がある」とも端的にトールキンはいっています。

トールキンの作りだした第二世界は、中つ国で、そこでは、遠い創造の日のかなたから善悪の戦いが行なわれ、第一紀は、悪の絶大な力であったモルゴスをベレンが破る時代です。シルマリルをめぐるその戦いの一端は、第一巻にベレンとルシアンのバラッドの形で歌われています。第二紀は、ルシアンのすえであるヌメノール王朝が、モルゴスの部下でそののちに強大になったサウロンに滅され、サウロンもエルフと人間の合同軍に討たれてそのからだは死に、悪心が中つ国にのがれます。この時サウロンの一つの指輪が失われました。そして第三紀が、前作『ホビットの冒険』と、この『指輪物語』の時代であって、中つ国に知られなかったホビットたちがはじめて世の脚光をあび、勢力をもりかえして世界を統べようとしているサウロンが、指輪の所持者フロド・バギンズとその仲間から世界を支配するその指輪を奪おうとした結果、中つ国は大きな指輪戦争にまきこまれ、フロドはさいごにモルドールの火山の「滅びの罅裂《きれつ》」に指輪を始末して、ビルボやガンダルフとともに中つ国を去っていきます。こうして第三紀が終ると、第四紀の人間時代が来て、まずベオウルフやシーグルードの物語を経て私たちの時になる——というのが、トールキンのスケールでした。

『指輪物語』の各巻についてことの詳細を述べては興をそぐことになりますから、順だけを簡単に記しますと、第一巻が、指輪の由来を知ってフロド一行が逃避行に出る。第二巻が、さらに同志を得て妖精の森ロスロリアンに憩う。第三巻が賢者の長だった白のサルマンが変節して、戦いとなり、灰色のガンダルフが白の賢者となる。第四巻は、分裂の危機に立って、フロドがモルドールにむかう。第五巻がゴンドールでの大きな戦い。第六巻が指輪の始末をつけて、中つ国を去る、という次第になります。『指輪物語』は、『ホビットの冒険』から引継がれる物語ですから、何かとくらべられる点が多いのですが、とにかく冒険的な遍歴譚のタイプは共通しています。ただし、前作は、ビルボが指輪を得て、自宅に帰ってきたのに対して、こちらは、ビルボの嗣子フロドが、指輪をなくすために逃亡の旅をつづけて、ついには亡命する点が対照的になりました。そういえば、ガンダルフが前作では、ややおどけた狂言廻しにすぎなかったのに、今度は、世の重荷を負う指導者の一人として活躍します。また前作は、「思いもうけぬパーティ」で幕があきましたが、『指輪物語』は「待ちに待ったパーティ」によってはじまります。この種の対応は、指輪物語自体のなかにじつに数多くしこまれていて、たとえば、フロドとゴクリは第一巻でガンダルフに相似と相違を指摘されていて、第六巻の火山山頂で劇的にその点を示しますし、ガンダルフとサルマンの組み合せも、同じような用意を感じさせます。また各巻のアクセントにしても、三巻と五巻に戦いと武勇あり、四巻と六巻に逃亡がくりかえされて、これまた構成上のリズムをうち出していました。

また異常に凡常の対比や、悲喜や明暗の対偶も、作者の古典的なリズム感の作法かとも感じますが、それらは鋭く一転して相互に強めあうことがあり、時に複雑に同時同居して私たちに大きな錯雑さを味わわせたりもします。いったいに、ビルボを主人公とした『ホビットの冒険』の単純な朗々とした調子にくらべて、はるかに翳りが多く、複雑な心情と哀切さをここに感ずる所以は、その辺の処理のたくみさによるのでしょうか。失われた楽園ロスロリアンを象徴するガラドリエルの美しく雅びな悲しみにしても、ホビット随一のきけ者であるフロドの土壇場のくずれによる心の傷手にしても、私たちは「面白うてやがてかなしき」同感を禁じえません。そういえば、C・S・ルイスのナルニア国ものがたりが、ラグナロク（破滅の日）をむかえるにもかかわらず、全体が明るくて楽天的なのは、作者のキリスト教信仰によるのだし、トールキンの方は、全体が異教的で（異教とは詩美の宗教と、ルイスが定義していますが）、強壮で厭世的なサガ世界に近いと評する人もありました。この物語の魅力のもう一つは、やはりサガ的な貞潔な人物が多く集っているところにもありましょう。忠実なサム、節士馳夫《はせお》はもとよりですが、天真なトム・ボンバディルや奇怪な木の人、さては魔王サウロンにさえもひとまわり大きな業《ごう》を律するきびしさに畏敬を払わされます。

私は、ことにこの物語に、古くからの物語の語り口を聞く気がして、その文体にひかれます。もとより古い伝承の大家がその蘊奥をかたむけている点で当然かもしれませんが、描写などに四顧することのない淡々とした叙述という文体をとりながら、なんと第一世界に見るリアリティをみがきだしながら、神秘的象徴の沈銀をひそめていることでしょう。また、随所で高みにのぼって遠望するところがあって、その末がおぼろに消えているあたりを「遠いはるかな昔をのぞむように」と述べているのは、この人の時間と場所を根源的につかむ姿勢から来る感慨なのでしょうが、すべてのものの淵源をさぐり、すべての場所の展望をもつ回顧と予測の同体感が、独特の言語観とあいまって、これまたこの作品に神話的広がりを与えているところであろうと思われます。また挿入された詩のかずかずは、いずれも、バラードや民謡のような歌いぶりで、情感を高めています。なお、作者は、当初物語を言語学的興味から作りはじめたと述べているように、その学問が作品の動機となっているのですが、そのほかにも、物語中にルーン文字を使い、エルフ語を発明し（これはウェールズ語が根になっているだろうということです）、ドワーフ語やオーク鬼語や木人族語など、それぞれにふさわしい音をあたえて言語体系を編んでいるのも、この第二世界の大きな特色といえましょう。

なお一言つけ加えますと、トールキンはこの作品に比喩の影をさぐることを許していません。したがってこれが第二次大戦下に書かれ、その体験が投影されていようとも、直接の反戦を訴えたものではないのです。ですから意図的に指輪は原爆を指示してはいないと思われます。文学上の価値からしても、比喩の域にとどまるものではありますまい。ただし第二世界としての象徴の意味を、私たちはおのがじしの切実な経験から各自各様に第一世界の現実へ照射することはさけられないでしょう。

　作者は本名をJohn Ronald Reuel Tolkienといって、一八九二年南アフリカ三都の一つブルームフォンティンに生まれ、父はサクソン系イングランド出身の銀行員でしたが、早く没し、幼い内から帰英してオーリックシャのセールホール村で母にそだてられました。その母も一九一〇年になくなると、苦学して一九一五年オクスフォードのエクセター・カレジを卒業し、第一次大戦に従軍、前線にゆく前にエディス・ブラットと結婚して、歩兵で激戦地にありましたが、傷病兵として入院中に言語学に熱中、一九二一年リーズ大学のリーダー、後に教授となりましたが、一九二五年からオクスフォードに招かれ、以後二十年英語英文学を中心に教授として専念されました。四子あり、末子が父の職をついだことは申しましたが、隠退した教授のもとへ、アメリカからの熱心なホビットニアンが巡礼にいって、閑暇を得るどころではないとききました。もっともトールキンは、『指輪物語』を終える早々、一九五七年から『シルマリルリオン』という、この続篇、いや前篇にあたる第一紀のシルマリルをめぐる物語を書きはじめたそうで、それは完成したという噂をいまだ聞きません。ちなみに、トールキンという姓は、本来はドイツ起原らしく、トールには「めちゃくちゃな」、キンには「大胆な」の意があって、あわせて「むこうみず、猪突猛進」になるとクリストファ・トールキンが何かに書いていました。

　私は、前作を子どもむきに訳した折に「いずれ機会があったら、指輪物語を訳したい」と記しましたが、この物語を実際によんで、正直なところ、力にあまる大作に畏怖を感じました。しかし評論社の竹下さんの勧誘に乗ぜられて、身のほど知らずの訳出に乗りだしたのは、年来の知友田中明子さんの全面的な協力が得られたからにほかなりません。また最初にこの本にひきあわせてくださった北海道の小林静江さんにも、機縁を与えてくださったお礼をのべたいと思います。このお三人のおかげなくしては、あの約束は実現できなかったはずですから。また、前作の日本版の挿絵を描いて、原作者から喜ばれた画家の寺島龍一さんが、今回も趣致ある挿絵を加えてくださったこともうれしいかぎりでした。そしてさいごに、とはいえ心から、一九七二年一月三日に満八十歳をむかえられたJ・R・R・トールキンさんに、やや後ればせながら、この日本訳の最初の一冊を誕生のお祝いにあてたいと思います。

一九七一年十二月

瀬田貞二

追記　再版に際して、作者の訃音に接しました。J・R・R・トールキンさんは一九七三年九月二日に病没されました。八十一歳でした。もう再びあの壮麗な第二世界を新たに開いて下されないことは残念でなりませんが、「すぐれたストーリーは終りのないもの」といういいかたからすれば、トールキンさんは指輪物語のなかにこもってしまわれたようにも思われます。心からご冥福を祈ります。

■評論社文庫

新版 指輪物語 2

旅の仲間 上2

一九九二年 七月三〇日 初版発行
二〇〇二年 一月二〇日 7刷発行

●──訳 者 瀬田貞二
田中明子

●──発行者 竹下晴信

●──発行所 株式会社評論社
〒162-0815 東京都新宿区筑土八幡町二-二一
電話営業〇三-三二六〇-九四〇九
FAX 〇三-三二六〇-九四〇八
電話編集〇三-三二六〇-九四〇六
振替〇〇一八〇-一-七二九四

●──印刷所 凸版印刷株式会社

●──製本所 凸版印刷株式会社

落丁・乱丁本は本社にておとりかえいたします。

ISBN4-566-02363-X NDC933 268p. 148mm×105mm

評論社文庫

星をのんだ かじや　新書判（てのり文庫）
J・R・R・トールキン／猪熊葉子訳
大人になると、だれもがわすれてしまう妖精の国、そこに行ったかじやは、妖精の歌声を聞き、女王に会い、そして……

農夫ジャイルズの冒険　新書判（てのり文庫）
J・R・R・トールキン／吉田新一訳
偶然、村の英雄となってしまった農夫ジャイルズは、王様からおくられた刀を持って、竜退治へ行くことになったが……

ウォーターシップ・ダウンのうさぎたち　上・下
R・アダムズ／神宮輝夫訳
群れに迫る危機を察知した11匹の勇敢なうさぎたちの危険にみちた放浪の旅。欧米で大反響を呼んだ冒険ファンタジー！

始原への旅だち　第1部
ジーン・アウル／中村妙子訳
旧人ネアンデルタールの部族に拾われた新人クロマニヨンの少女エイラをめぐる、はるか太古の人々の壮大な愛とロマン！

マルセル・パニョル **少年時代**　1・2・3
マルセル・パニョル／佐藤房吉訳
少年期の白熱的な喜びと哀しみをユーモアとペーソスで描いた、フランスの国民的作家によるヨーロッパ自伝小説の名作

トパーズへの旅　日系少女ユキの物語
ヨシコ・ウチダ／柴田寛二訳
第二次大戦下のアメリカで、砂漠の収容所に閉じ込められた日系人たちの運命を、少女ユキの目を通して鮮烈に描いた作品